晨讀10分鐘

［小學生］

成語故事集2（下）

生活篇

撰寫——李宗蓓

繪圖——蘇力卡

目次

自然篇

器物篇

數字篇

綜合篇

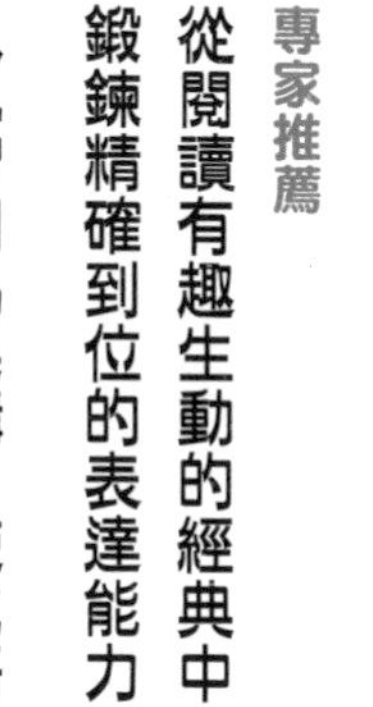

專家推薦

自然篇

太陽的成語

野人獻曝

太陽升起時，帶來了光明和溫暖，驅走了黑暗和寒冷，成語中常用「日」來表示太陽，而暗無天日，看不到太陽時，便比喻失去了光明希望。

故事時光機

春秋時代，宋國有一個農夫，家境貧窮，寒冷的冬天裡，只有一件不保暖的麻布衣可以穿。

好不容易挨過了寒冬，天氣越來越暖和，春天來了，農夫走到屋外，晒晒太陽，全身暖呼呼的，舒服極了！

回家後，他得意的對妻子說：「晒晒太陽好溫暖啊！一點都不冷了！我想到一個好主意，如果把晒太陽取暖的方法獻給國君，他一定很高興，會賞賜我很多寶物。我要趕快進城向國君報告這件事。」

農夫的鄰居看他興沖沖的準備出門，問他要去哪裡？知道了這件事後，便取笑他說：「你太缺乏見識了！國君住在富麗堂皇的宮殿裡，冷風吹不進來，屋子裡升著暖烘烘的爐火，身上穿的是保暖的毛皮大衣，哪需要靠晒太陽來取暖。世界上有

比晒太陽更暖和的東西，是你不知道罷了。還是別去了吧！」

農夫的鄰居看他還在猶豫，又接著說：「我聽說從前有個人，把蠶豆、水芹這些野菜當做天下最美味的食物，聽到他的吹噓後，村中的有錢人也吃了一點品嚐品嚐，沒想到這些吃慣大魚大肉的富人，吃了野菜後，不但不覺得美味，肚子還痛了起來。你去進獻晒太陽取暖的方法，就像那個人一樣。」

農夫聽了後，恍然大悟，覺得很不好意思，打消了到國君面前進獻晒太陽取暖的想法了。典源：《列子》

學習藏寶箱

1 野人獻曝

解釋 比喻平凡人所貢獻的平凡事物。

造句 他的看法和建議非常平凡，就像是野人獻曝，沒有幫助反而招來嘲笑。

(1)

解釋 作為自謙之詞，指所貢獻的東西或意見微不足道。

造句 這次的生日會，我就野人獻曝的上臺唱一首歌送給大家吧！

(2)

2 日上三竿

解釋 太陽已上升到三根竹竿相接的高度。比喻時候不早了。

造句 暑假的時候，哥哥每天都睡到日上三竿才起床。

3 日月如梭

解釋 太陽和月亮像織布的梭子般來回不停的穿梭。形容時光消逝迅速。

造句 時光飛逝，日月如梭，哇哇哭的小嬰兒一下變成了蹦蹦跳的小學生。

4 旭日東升

解釋 清晨太陽剛從東方升起。比喻充滿活力與朝氣的景象。

造句　天快亮時我們就起床了，上山去欣賞旭日東升的美景。

5 撥雲見日（ㄅㄛ ㄩㄣˊ ㄐㄧㄢˋ ㄖˋ）

解釋　撥去烏雲，重見天日。比喻除去障礙，狀況好轉，重見光明。

造句　經過他的指點說明，原本卡住的難關有如撥雲見日，找到了答案。

6 蜀犬吠日（ㄕㄨˇ ㄑㄩㄢˇ ㄈㄟˋ ㄖˋ）

解釋　蜀地的狗對著太陽狂叫。比喻見識淺薄，平常的事也覺得奇怪。

造句　看到無人駕駛的汽車在路上行駛，他竟蜀犬吠日般以為是天大的怪事。

7 暗無天日（ㄢˋ ㄨˊ ㄊㄧㄢ ㄖˋ）

解釋　看不見天日，一片漆黑。比喻處境黑暗無天理，沒有光明希望。

造句　他曾經有過一段暗無天日的悲慘生活，最後靠著自己的力量扭轉了人生。

相關成語參考

夸父逐日

月亮的成語

吳牛喘月

月亮為黑夜帶來光亮，夜空中皎潔的明月也讓人喜愛仰慕，因此在成語中，明月常作為品格高潔的象徵。

故事時光機

晉朝的時候，大臣滿奮身材高大，虎背熊腰，是一個雄壯威武的勇士，但卻非常的怕冷。

滿奮有多怕冷呢？有一年冬天，晉武帝召滿奮進宮商議國

事。滿奮坐在武帝身邊，從宮中精緻透明的琉璃窗向外看去，只見窗外颳著寒冷的北風。狂風呼嘯，落葉飛舞的景象讓他身體不停的發抖。

武帝看滿奮坐立不安的樣子，關心的問：「你怎麼了？身體不舒服嗎？」滿奮吞吞吐吐的回答：「臣怕冷，臣覺得好冷啊。」晉武帝覺得很奇怪：「冷？這裡怎麼會冷呢？宮裡的琉璃窗非常密實，一點風都吹不進來，爐火又燒得這麼旺，室內暖烘烘的，我還覺得熱呢！」

滿奮這才不再發抖，鎮定下來，不好意思的回答：「我聽說生活在南方，長江、淮河一帶的水牛，天性怕熱，不是待在樹蔭下休息，就是泡在清涼的水裡。到了晚上，氣溫下降，天氣沒有這麼熱了，然而水牛看到又圓又大的月亮，聯想到炙熱的太陽，以為又要變熱了，明明清風徐徐，天氣舒爽，水牛們卻嚇得氣喘吁吁。我就好像是那怕熱的水牛，看到窗外天寒地凍的景象，怕到失去了正確判斷現實的能力，不禁冷得發起抖來了！」

晉武帝笑說：「好，那你換個位子坐吧！別再如吳牛喘月，看不到，就不會害怕了吧！」

典源：《世說新語》

學習藏寶箱

1 吳牛喘月

解釋　比喻見到了類似曾經讓自己受害的事物，便會害怕恐慌，失去正確判斷的能力。

造句　他小時候曾經溺水過，現在看到水的圖片，也會如吳牛喘月般緊張害怕。

2 鏡花水月

解釋　鏡中的花，水裡的月。比喻空無虛幻，並不實在。

造句　他常感嘆少年時候的夢想就像鏡花水月，最後都沒有成真。

3 光風霽月

解釋　雨後天晴的明淨景象。形容人品格高潔，光明磊落。

造句　他是一個品格高尚，光風霽月的君子。

4 風花雪月

解釋　四季的美好景色。形容愛戀情事或浮華言情的詩文。

造句　這本雜誌全是些風花雪月的報導，內容不值得一看。

5 冰壺秋月

解釋　比喻人的品格高潔清亮，心胸光明坦然。

造句　他光明磊落，冰壺秋月的胸懷讓人仰慕、尊敬。

6 水中撈月

解釋　在水裡撈起天上的月亮。比喻無法做到的事情。

造句　他想要找回遺失了三十年的戒指，就像水中撈月一樣，是不可能成功的。

7 花好月圓

解釋　花正盛開，月正圓亮。比喻美好圓滿，常用於婚禮的祝福。

造句　他們將在這花好月圓的美好時刻舉行婚禮，結為夫妻。

相關成語參考

閉月羞花、月下老人

星星的成語

急如星火

古人觀察夜空裡的星星，看到滿天星光閃爍，或者看到劃過天邊，稍縱即逝的流星，便把它們化為成語。而星星和月亮同時出現，所以也常連用。

故事時光機

西晉的時候，有一個人叫李密，他出生不久父親就去世，四歲時母親也離開了。李密孤苦無依，身體虛弱常常生病，到了九歲還不太會走路。幸好有慈愛的祖母，關愛他，細心照顧他，親自把他撫養長大。

李密喜歡讀書，長大後才能和學問都很出眾，又以孝順聞名鄉里，許多人推薦他做官，但是他都拒絕了，因為他的祖母年紀老邁，身體不好，整天躺在床上需要有人侍奉照顧。

就像小時候祖母照顧他一樣，李密也每天親自照顧祖母吃飯喝藥，從來沒有一天停止過，更不願意為了做官離開祖母。

然而，晉武帝聽說李密的好名聲後，下令他到朝中擔任太子的侍衛官。接到這個命令時，李密的祖母已經高齡九十六歲，身邊只有他這個親人，李密為了奉養祖母，婉拒了晉武帝

的徵召。

晉武帝不知道原因，下詔責備李密態度傲慢，違抗命令，郡縣長官派人要李密趕快離開家鄉到朝廷上任，州裡的官員也登門催促逼迫，簡直比流星的光還要急速。

李密於是寫了一篇〈陳情表〉，誠懇訴說自己感激武帝的賞識，也希望能奉詔上路，但是祖母的病日漸沉重，他不忍心離開祖母。因為小時候如果沒有祖母照顧，他無法活到現在，現在祖母沒有他的照顧，無法度過餘生，祖孫兩人相依為命。未來報效國家的日子還很長，但報答祖母養育之恩的日子卻很少了。請求晉武帝同情憐憫，讓他奉養祖母安享晚年直到去世。

武帝看了〈陳情表〉後，非常感動，不再責備李密違抗命令，還賞賜李密許多東西，讓他可以安心的奉養祖母，竭盡孝道。

李密在〈陳情表〉中用「急於星火」來形容官員催促逼迫他的急切，後來成為了「急如星火」這個成語。典源：〈陳情表〉

學習藏寶箱

1 急如星火

解釋　像流星的光那樣急速。比喻情勢非常的急促、緊迫。

造句　接到了他出車禍的消息，家人們急如星火的趕到醫院。

2 星羅棋布

解釋　像羅列在天上的星星，分布在棋盤上的棋子。形容布置排列得很繁密。

造句　這座湖中數不清的小島星羅棋布，號稱千島湖，是著名的觀光勝地。

3 披星戴月

解釋　形容早出晚歸，整夜奔波趕路或工作極為勞累的樣子。

造句　貨車司機披星戴月，奔波在高速公路上，送貨到好幾個城市。

4 吉星高照

解釋　吉祥的星高高照射。比喻好運當頭，事事順利。

造句　他最近喜事連連，就像是吉星高照，鴻運當頭般幸運。

5 物換星移

解釋　景物變遷，星辰移動。形容隨著時間推移，事物也變遷更替。

造句　二十年過去後，物換星移，平房變成了高樓大廈，這座城市的景象已經完全不一樣了。

6 月明星稀

解釋　月色皎潔，星光稀疏不明。形容清朗幽靜的月夜。

造句　今年的中秋夜，月明星稀，微風徐徐吹來，正是賞月的好時機。

7 月落星沉

解釋　月亮落下，星星低垂。形容天快要亮的時候。

造句　今天他起得特別早，只見窗外月落星沉，天都還沒亮呢。

相關成語參考

寥若晨星

山的成語

愚公移山

山在天地之間歲月深長，歷史悠久，成語中的「山」除了表現高山穩重大器的形象，也常用來指特定某一座山，如梁山就是出自小說《水滸傳》中的故事。

故事時光機

從前，有個老人名叫愚公，高齡九十歲，但身體和精神仍然非常的好。

愚公家門前有太行和王屋兩座大山，阻擋了道路，家裡的人和附近居民出入都得翻山越嶺，繞一大圈山路。

有一天，愚公召集了兒孫們，對他們說：「兩座大山擋在家門口，進出不方便，麻煩又辛苦。我希望集合大家的力量，同心協力，把兩座山剷平，你們認為怎麼樣？」愚公的兒子說：「有道理，把山剷平後，大家進出都方便。好！我們一起來做吧！」

兒子和孫子們都很贊成，但愚公的妻子卻很擔心，她說：「唉呀！你的年紀那麼大，以你的力氣，恐怕連一座小山丘也移動不了，還想剷平兩座大山。何況你要把挖下來的土石放在

哪呢？」

愚公還是不放棄把山移走的決心，全家人想了又想，終於找出了解決的方法，就把挖出的泥土運到大海裡吧！解決了如何放置土石的問題後，愚公就帶領著兒孫們開始了鏟土移山的工作。

附近有一位叫智叟的老人家，聽到這件事後，認為愚公的想法實在是不切實際，笑他說：「你太不聰明了，年紀那麼大，體力也不行了，怎麼能移走大山呢？即使一家人一起挖，也不可能鏟平一座大山的。」

愚公說：「即使我一個人辦不到，但我死了之後，我的兒子和孫子都會繼承我的遺志，繼續移山的工作。我問問你啊，這兩座大山會再繼續長高嗎？」智叟說：「山不會再長高了。」

愚公說：「那就對了，山不會再長高，但我的家人，我的子孫們卻是一代接著一代出生，一人移走一點，一代移走一點，一定會有鏟平高山的一天。」智叟聽了愚公的話後，不但不再嘲笑愚公，還很佩服愚公的決心和意志力。

愚公移山的消息傳到了山神耳裡，他害怕山有一天真的會被愚公一家人剷平，便向天帝報告了這件事。天帝被愚公堅持

理想，鍥而不捨的精神感動，命令兩位力大無窮的天神下凡，背起兩座大山，搬到了別的地方。從此之後，愚公家門前沒有大山阻擋，交通也暢通無阻。典源：《列子》

學習藏寶箱

1 愚公移山

解釋　比喻不畏艱難，努力不懈，再困難的事也能完成。

造句　他以愚公移山的精神，堅持不放棄，終於完成了這個幾乎不可能的任務。

2 逼上梁山

解釋　比喻被逼迫走上絕路，做出自己不想做或不應該做的事。

造句　龐大的債務，沉重的經濟壓力，把他逼上梁山，做出了犯法的行為。

3 壽比南山

解釋　壽命像南山一樣長久。祝福人長壽延年。

造句　我寫了一張卡片祝福爺爺生日快樂、壽比南山。

4 藏諸名山

解釋　收藏在大山中的著作。比喻作品極具價值，能流傳後世。

造句 這位歷史學家窮盡畢生心血，完成了這本藏諸名山的大作。

5 泰山北斗

解釋 最高的山，最亮的星。比喻聲望出眾，受人崇敬仰慕的人。

造句 他是傳染病學的權威，醫界的泰山北斗，成就受人景仰。

6 牛山濯濯

解釋 山上光禿禿的沒有草木。比喻沒有頭髮。

造句 拿下帽子後，才發現他年紀不大，卻已牛山濯濯了。

7 廬山真面

解釋 比喻原本的面目或事物的真相。

造句 一直聽說這個森林祕境非常美麗，今天終於親眼見到廬山真面了。

相關成語參考

執法如山、終南捷徑

河的成語

從善如流

河川的水不停往低處流動，流向大海，這是一種自然現象，古人用連綿不斷，向下奔流的河水延伸出許多比喻人事狀況的成語。

故事時光機

春秋時代，各國之間常常發生戰爭，關係友好的國家會結為同盟國，當一國遭到攻打時，盟國便要派兵援助。

有一次，楚國派兵攻打鄭國，鄭國抵擋不住，趕緊派使者向盟國晉國求救，晉王於是派大將軍欒書帶兵趕去救援鄭國。

楚軍看到晉國大軍來了，不想和強大的晉軍正面衝突，連忙退兵。欒書率大軍出征，還沒開戰，楚國就退兵了。欒書說：「勞師動眾來到這裡，結果卻無功而返，不是太浪費嗎？鄭國附近的蔡國一向親近楚國，不把晉國放在眼裡，我看就去攻打蔡國好了。」

蔡國見晉軍攻來，急忙向盟國楚國求救。楚國認為自己已經退兵不攻打鄭國了，但是晉國不但不退兵，還想攻打蔡國，於是又再度調動大軍，準備出兵救援蔡國。

晉軍見楚軍又回來了，將領們紛紛請求欒書正面迎擊，向楚國進軍出戰。只有知莊子、范文子、韓獻子三個人反對。

他們對欒書說：「將軍，我們本來是來救援鄭國，對抗侵略的正義軍隊，結果楚國退兵了，我們不但不退兵，還準備去攻打蔡國，這樣不是跟楚國攻打鄭國一樣，是場不義之戰嗎？現在再和前來保衛蔡國的楚軍開戰，即使打勝仗，也不是一件光榮的事；如果打敗仗，更是自取其辱，請您三思而行，還是退兵吧！」

欒書聽了覺得很有道理，因此決定撤軍回晉國，軍中的其他將領們卻不服氣，他們對欒書說：「在您身邊輔助的人共有十一位，贊成應戰的有八人，反對出戰的只有三人，您應該聽從多數人的意見。」

欒書仍然堅持退兵，他對大家說：「多數人的意見不見得就是正確的意見。知莊子、范文子、韓獻子三人的意見是正確的，我就應該聽從。」

欒書後來打了許多勝仗，當時的人都誇讚這是因為欒書從善如流，能虛心聽從好的、正確的意見，做出適當的行為，就如同水往低處流般一樣自然。典源：《左傳》

學習藏寶箱

1 從善如流（ㄘㄨㄥˊ ㄕㄢˋ ㄖㄨˊ ㄌㄧㄡˊ）

解釋　比喻樂於接受他人好的勸導與意見。

造句　師長們給我們的建議，都是寶貴的經驗之談，我們應從善如流的虛心接受。

2 江河日下（ㄐㄧㄤ ㄏㄜˊ ㄖˋ ㄒㄧㄚˋ）

解釋　江河的水日日往下奔流。比喻情況越來越衰微惡化。

造句　經濟不景氣，顧客不上門，這家店生意江河日下，快經營不下去了。

3 恆河沙數（ㄏㄥˊ ㄏㄜˊ ㄕㄚ ㄕㄨˋ）

解釋　像恆河裡的沙粒，無法計算。形容數量極多。

造句　抬頭仰望夜空，滿天繁星如恆河沙數，神祕又美麗。

4 河清海晏（ㄏㄜˊ ㄑㄧㄥ ㄏㄞˇ ㄧㄢˋ）

解釋　河水清澈，海水平靜沒有風浪。比喻天下安定，國家興盛。

造句　世界上每個國家的人民，都期待能夠過著河清海晏，國泰民安的生活。

5 過河拆橋

解釋　安全過河後就把橋拆掉。比喻不念舊情，忘恩負義。

造句　在他有困難的時候，好朋友幫助過他，他卻過河拆橋，沒把恩情放在心上。

6 過河卒子

解釋　象棋中的兵卒，只能前進，不能後退。比喻沒有退路，只能向前衝的人。

造句　他現在經濟狀況不佳，如同過河卒子，每天都要拚命工作賺錢，才能維持生活。

7 川流不息

解釋　像河水流動不停。形容連綿不絕，接連不斷的樣子。

造句　大人小孩都喜歡迪士尼樂園，每天都有川流不息的人潮。

相關成語參考

□若懸河

風的成語

兩袖清風

風是空氣流動造成的現象，吹拂而過時，我們感覺得到，卻看不到也摸不著，所以成語中常藉「風」比喻傳聞或沒有根據的消息。

故事時光機

明朝的時候，大臣于謙少年時代便立定志向，要終生保持高潔的操守和正直的品格，效忠國家，在世間留下清白的好名聲。

他在擔任河南巡撫時，關心民間疾苦，積極為百姓謀福利，伸張公理與正義，有「于青天」的美譽。

當時官場上收賄風氣盛行，地方官員們要入京朝見皇帝或處理公務時，都會準備財物和特產，作為交際應酬的禮品，送給皇帝身邊親近的大臣們，藉以拉攏關係，得到更多的好處。然而這些東西，都是從百姓那裡搜刮而來的。于謙對這種貪汙腐敗的風氣深惡痛絕，所以進京時從不帶任何禮物。

他曾作了一首詩〈入京〉表明態度：

手帕蘑菇與線香，本資民用反為殃。
清風兩袖朝天去，免得閭閻話短長。

意思是絹絲、蘑菇、線香這些地方特產，是百姓辛苦生產出來，做買賣的。卻因為官員們強行徵收，作為禮品帶進京去，反而讓人民遭到禍害。所以于謙去京城時，什麼也不帶，衣袖內空無一物，只有滿滿的清風，才不會對不起百姓，讓大家批評。

兩袖清風的于謙，去世之後，人們發現他家中擺設非常簡樸，沒有什麼值錢的東西，只有成堆成堆的書籍而已。典源：《西湖遊覽志餘》

學習藏寶箱

1 兩袖清風

（1）
解釋：比喻官吏清廉，沒有任何貪贓枉法的行為。
造句：他一生正直清廉，擔任政府官員以來，多餘的錢都用來做公益，退休時兩袖清風。

（2）
解釋：形容一個人生活清貧，沒有積蓄。
造句：他賺多少花多少，常常還不到月底，就兩袖清風、口袋空空了。

2 呼風喚雨

解釋：能控制風雨的法力。比喻本領高強，權勢極大，影響力深遠。
造句：他出身政治世家，又連任好幾屆委員，在政壇上有呼風喚雨的實力。

3 捕風捉影

解釋：捕捉虛幻的風和影子。比喻說話或做事完全沒有依據，憑空想像而來。
造句：他在網路上散布大量捕風捉影的謠言，結果被起訴了。

4 櫛風沐雨（ㄐㄧㄝˊ ㄈㄥ ㄇㄨˋ ㄩˇ）

解釋 用風梳髮，以雨沐浴。比喻在外奔走，不避風雨，極為辛勞。

造句 工人們櫛風沐雨的趕工，希望能早日修復被颱風吹毀的道路。

5 見風轉舵（ㄐㄧㄢˋ ㄈㄥ ㄓㄨㄢˇ ㄉㄨㄛˋ）

解釋 根據風向來轉舵。形容看人臉色行事，沒有原則。

造句 在最後的表決中，很多人見風轉舵，轉向支持另一邊。

6 搧風點火（ㄕㄢ ㄈㄥ ㄉㄧㄢˇ ㄏㄨㄛˇ）

解釋 比喻從旁鼓動慫恿，以挑起事端，引發糾紛。

造句 因為他的搧風點火，讓小爭執變成大糾紛。

7 滿城風雨（ㄇㄢˇ ㄔㄥˊ ㄈㄥ ㄩˇ）

解釋 到處颳風下雨的景象。形容事情一經傳出，流言四起，到處都在談論。

造句 這則緋聞傳出後，一下子滿城風雨，各家媒體都在追查真相。

相關成語參考

風雨無阻、乘風破浪、雷厲風行、空穴來風

雲的成語

響遏行雲

白雲在天空中時而聚集，時而飄散，形狀變化無常，烏雲密布時更是可以遮蔽天空，這些飄浮不定的特色，成為了成語取材的來源。

故事時光機

戰國時代，秦國人薛譚很喜歡唱歌，特地拜當時著名的音樂家秦青為師，跟著他學習歌唱技巧。

薛譚在秦青的教導下，進步快速，歌藝越來越出眾，他自以為已經將老師的本領全部學會了，心裡很得意。

有一天，他對秦青說：「該學的我都學會了，要向老師告辭，返回家鄉了。」秦青聽了之後，只是靜靜的看了薛譚一眼，沒有說話，也沒有挽留薛譚。薛譚更是認為老師知道已經沒有東西可以教導他，肯定他的歌藝，同意他學成回家了。

薛譚要離開的那一天，秦青親自在城外的大道為薛譚餞行，他對薛譚說：「師生一場，我唱一首歌為你送行。」

秦青打著節拍，放開喉嚨高聲歌唱，清越嘹亮的歌聲，震動了林間的樹木，直上天際，彷彿能遏止住天上飄浮的白雲。

薛譚聽到秦青響遏行雲的歌聲後，感嘆老師演唱功力如此高深，自己根本比不上，也還沒有學成，於是羞愧的向老師道歉，請求再回到秦青門下，繼續學習。從此之後，薛譚不敢再自滿的認為已經學成，可以回家了。典源：《列子》

學習藏寶箱

1 響遏行雲

解釋 形容歌聲嘹亮高妙，彷彿可以直上天際，止住浮雲。

造句 這位世界知名的男高音，響遏行雲的歌聲被譽為天籟之音。

2 雲淡風輕

解釋 形容天色晴朗美好，舒適宜人。

造句 雲淡風輕的假日午後，我和好朋友去爬山，欣賞自然美景。

3 行雲流水

解釋 飄浮的雲，流動的水。比喻飄逸自然，沒有拘束的樣子。

造句 他的散文讀起來如行雲流水，生動流暢，優美動人。

4 白雲蒼狗

解釋 本來看起來像一件潔淨白衣的雲，轉眼間變成灰狗的模樣。比喻世事多變，反覆無常。

造句　二十年後再重回校園，已不是昔日的青春少年，他心中充滿了白雲蒼狗的感嘆。

5 響徹雲霄

解釋　形容聲音響亮，彷彿可以直達天際。

造句　中華隊拿下冠軍的那一刻，球迷們的歡呼聲響徹雲霄。

6 煙消雲散

解釋　比喻事物就像煙雲一樣，很快消散不見。

造句　徜徉在碧海藍天之中，所有的煩惱憂愁都煙消雲散了。

7 叱吒風雲

解釋　大聲怒喝，可以讓風雲變色。形容威風凜凜，可以控制局勢的人。

造句　王老闆縱橫商場三十年，是叱吒風雲，左右經濟局勢的大人物。

相關成語參考

壯志凌雲、平步青雲

水的成語

背水一戰

水在人們生活中不可或缺，小至一滴水，大至汪洋大海，都曾運用在成語中。此外成語中的水也常與火連用，表現出大自然巨大的力量。

故事時光機

楚漢相爭的時期，漢王劉邦一次派大將軍韓信帶領一萬名漢軍，進攻和楚王項羽友好的趙國。趙國大將軍陳餘帶著二十萬兵馬，駐守在通往趙國的必經要道井陘口，準備迎戰。

通往井陘口的道路非常狹窄，兩邊都是山，崎嶇難行。陳餘手下的謀士李左軍建議採用奇襲的方法，他說：「我們不要正面作戰，派兵繞到漢軍後方突襲，切斷韓信的補給線。讓漢軍進退不得，困死在井陘道裡，漢軍自然成為我們的俘虜。」

然而陳餘認為自己的兵力強大，又占據了有利的作戰位置，不把韓信放在眼裡，沒有採用李左軍的計謀，堅持要與漢軍正面作戰。

韓信帶兵進入井陘道後，在井陘口附近紮營。半夜，他精選輕騎兵兩千人，命令他們趁著黑夜，帶著漢軍的旗幟，從隱蔽的小路繞到趙軍的後方埋伏，韓信對他們說：「開始作戰後，我軍會假裝戰敗逃跑，這時候趙軍一定會全部出動，出營追擊，你們就趁機衝入趙軍的營壘，拔掉趙軍旗幟，插上漢軍的旗幟。」

安排好之後，韓信下令漢軍背對著河水，排開了陣勢。趙軍從高處看到後，認為韓信犯了兵家大忌，背水而戰，排出了沒有退路的絕陣，都嘲笑不已，更加的輕敵了。

天亮之後，韓信擊鼓出擊，兩軍激戰過後，韓信假裝戰敗，一直退到河邊，趙軍果然追擊，想把漢軍一網打盡。然而漢軍在背對著河水，無路可退的情況下，各個拚命殺敵。

趙軍見一時之間無法獲勝，先撤退回軍營，結果卻看到趙

營中全是漢軍旗幟，以為漢軍已經占領了後方，不由得驚慌恐懼，氣勢盡失，韓信趁勢反攻，趙軍一下潰敗，大將軍陳餘也戰死了。

慶功宴上，有將領請教韓信：「兵書上說打仗要背著山，面向水，將軍為什麼反而背水作戰呢？」韓信說：「兵法上也說置身於沒有退路的境地，勢必會拚命向前，求得生存。如果有路可退，士兵還會這樣奮不顧身的作戰嗎？」

滅了趙國之後，背水一戰的韓信又一連打了好幾場勝仗，是漢朝著名的開國大將軍。典源：《史記》

學習藏寶箱

1 背水一戰

解釋 背對著河流，毫無退路。比喻在絕境之中，抱著必死的決心，勇猛奮戰取勝。

造句 他抱著背水一戰的決心，成功扭轉劣勢，取得了最後的勝利。

2 水深火熱

解釋 處在深水和熱火中。比喻處在非常艱困、痛苦的情況下。

造句 他發現自己得了癌症後，心情就像在水深火熱般痛苦。

3 水火不容

解釋 比喻兩方互相對立，不能相容。

造句 他們兩人個性不合，水火不容，一點小事也會引發大衝突。

4 水到渠成

解釋 水流過的地方自然會形成溝渠。比喻時機成熟，條件完備，事情自然成功，不須強求。

造句 這個計畫我們已經做好萬全的準備，馬上就要水到渠成，看到成果了。

5 萍水相逢

解釋　像水中漂流的浮萍，偶然相遇。比喻兩個不相識的人，因機緣巧合，偶然相遇。或指兩人交情還很淺。

造句　我跟他雖然萍水相逢，卻有很多共通的話題，就像認識很久的朋友一樣，沒有陌生的感覺。

6 飲水思源

解釋　喝水時想起水的源頭。比喻不忘根本。

造句　為了感謝母校的栽培，他事業有成後，飲水思源的捐助了大筆獎學金給學校。

7 拖泥帶水

解釋　身上被泥、水沾汙，行動不方便。形容言辭或行為拖拉瑣碎，不夠簡潔俐落。

造句　他說話拖泥帶水，抓不到重點，講了半天還是沒有結論。

相關成語參考

覆水難收、水乳交融、水泄不通

石的成語

水滴石穿

石頭給人堅硬不可摧的形象，如果連石頭都能穿透，可以粉碎，一定需要長久的時間與堅毅過人的力量，成語之中便常用石頭來對比出這樣的力量或時間。

故事時光機

宋朝時，崇陽縣令張乖崖正直清廉，要求手下的官吏們也要奉公守法，做百姓們的榜樣。

有一天晚上，張乖崖在縣府內外巡視時，看見一個負責管

理公庫財物的小官吏打開公庫的門，四處張望一番後，鬼鬼祟祟的從公庫裡走出來。

張乖崖走上前去，叫住小官吏，問：「這麼晚了，你進公庫做什麼？」小官吏突然見到張乖崖，神色慌張，辯解說：「沒有啊，我只是剛好經過這裡，我沒有進公庫。是您看錯了。」

公庫中的錢，總是短少，每次清點時都不見一些錢，張乖崖早就在注意這件事了。他下令搜小官吏的身，但什麼都沒有發現。他再仔細打量小官吏，看到他的頭巾有點歪斜，命人打開頭巾檢查，發現頭巾裡面藏了一文錢。

人贓俱獲後，小官吏還是不承認自己偷了公家的錢，張乖崖見他毫無悔意，下令打他十大板作為處罰。小官吏聽到要被處罰，竟然氣得對張乖崖說：「我又沒偷多，只不過偷了一文錢，有什麼大不了的！」

張乖崖見小官吏身為公務人員，竟然不覺得偷拿公家的錢有什麼不對，不由得長嘆了一口氣，說：「如果整個縣府中的官員，都抱著偷一點小錢沒什麼關係的心理，日後該怎麼管理呢？」

於是張乖崖提起筆在判決書中寫道：「一日一錢，千日千

錢，繩鋸木斷，水滴石穿。」意思是一天偷一文錢，一千天之後就偷了一千文錢，就像用繩子做鋸子摩擦木頭，只要不停在木頭上來回摩擦，時間久了也能把木頭鋸斷；小水滴不間斷的滴在石頭上，久了也會有穿透硬石的一天。即使是小問題，日積月累之後也會成為大問題，於是嚴懲小官吏，判了他重刑。

典源：《鶴林玉露》

學習藏寶箱

1 水滴石穿

解釋　滴水久了可使石穿。比喻只要有恆心，努力不懈就能夠成功。

造句　他花費了數十年的時間，發揮水滴石穿的精神，親手興建出這棟位在深山中的房子。

2 石破天驚

解釋　形容事物或言論新奇驚人，震撼人心。

造句　這個網紅常有些石破天驚的大膽言論，引發很多討論。

3 石沉大海

解釋　比喻不見蹤影，沒有音訊，或事情沒有結果。

造句　他寄出了好幾封求職信，可惜都石沉大海，沒有得到回覆。

4 玉石俱焚

解釋　美玉和石頭一起被燒毀。比喻好壞同時受害，全被毀滅。

造句　可惡的歹徒竟然想開車衝撞警察，玉石俱焚，還好及時被逮捕了。

5 頑石點頭

解釋　連冥頑的石頭都會點頭。比喻說理透澈，讓人心服。

造句　在老師慈愛關懷、耐心開導之下，這個學生終於頑石點頭，不再翹課，樂於上學了。

6 海枯石爛

解釋　海水枯乾，石頭粉碎。形容經歷時間長久，或表示意志堅定，永遠不改變。

造句　這部電影描述一段海枯石爛，至死不渝的深情，感動了無數的觀眾。

7 電光石火

解釋　閃電呈現的亮光，火石擊發的火光。比喻很短暫，轉瞬間便消逝。

造句　這場交通意外如同電光石火，發生得太快，大家都沒看到肇事車輛是怎麼衝出來的。

相關成語參考

枕石漱流、水落石出、落井下石、以卵擊石

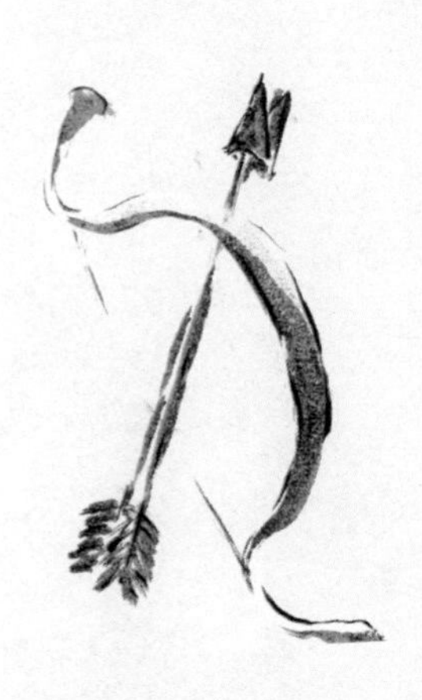

器物篇

舟的成語

刻舟求劍

舟船航行在水中，是古人渡河時重要的交通工具，由於必須靠水的力量承載前進，所以常和水連用，不管是順著水流，還是逆著水流，都變成了成語。

故事時光機

戰國時代，有一個楚國人個性非常固執，做錯事情時，有人好心勸告他，他也從不聽從、改進，所以常常惹上麻煩。

有一次，楚國人要到外地去辦事。他自言自語的說：「這次出遠門，至少要十天半個月才會回來，路途這麼遠，我還是在身上佩戴把寶劍，看起來威風又氣派，別人也會對我尊重些！」於是他找了把劍，掛在腰上，大搖大擺的出門去了。

途中經過一條河，他僱了艘小船載他渡河。小船航行在河中時，颳起一陣風，船身一下不穩的在河中搖來晃去，楚國人身上佩戴的寶劍沒有繫好，掉到了河裡。

船夫看到寶劍掉下去，緊張的說：「客人！您的寶劍掉進河中了，我趕快停船，幫你打撈，希望找得回來。」然而楚國人卻一點都不著急，他在船身上刻了一個記號，說：「我的劍

剛剛就是從這個地方掉下去的，我看得清清楚楚，也做好記號了，你繼續划船吧！上岸後再下去撈就好了。」

船夫疑惑的說：「這樣不對吧！劍掉進水裡後，沉入的位置不會變，即使在船身上刻下記號，船一移動，也就離開了寶劍掉落的地方，怎麼還找得回寶劍呢！」

楚國人卻執迷不悟，認為自己的作法是對的。等到船靠岸後，他從刻著記號的地方下水尋找他遺失的寶劍，結果當然是怎麼找，都不可能找回寶劍。楚人「刻舟求劍」的行為，也讓大家笑話了好久呢。

典源：《呂氏春秋》

學習藏寶箱

1 刻舟求劍

解釋　比喻拘泥固執，不懂得變通。

造句　你不去理解題目的意思和解題的步驟，只是一味的套用同一個公式，根本是刻舟求劍，得不到正確答案。

2 同舟共濟

解釋　同坐一條船渡河。比喻患難與共，同心協力戰勝困難。

造句　這次的危機，在大家同舟共濟的努力之下，順利的解除了。

3 順水推舟

解釋　順著水流的方向推船。比喻順應著情勢行事。

造句　幫你這點忙，只是順水推舟而已，沒花什麼力氣，你不用放在心上。

4 逆水行舟

解釋　逆著水勢行船。形容學習或做事要不斷努力，否則就會落後退步。

造句　學習有如逆水行舟，每天都要進步，不然很容易又落後。

5 木已成舟（ㄇㄨˋ ㄧˇ ㄔㄥˊ ㄓㄡ）

解釋　木材已經做成了船隻。比喻事情已經成定局，不能挽回或改變。

造句　這件事情大家表決通過，木已成舟，不會再改變結果。

6 舟車勞頓（ㄓㄡ ㄔㄜ ㄌㄠˊ ㄉㄨㄣˋ）

解釋　搭乘許多交通工具。形容旅途的疲勞困頓。

造句　雖然要經過一番舟車勞頓，但我們還是很喜歡到山上露營。

7 水漲船高（ㄕㄨㄟˇ ㄓㄤˇ ㄔㄨㄢˊ ㄍㄠ）

解釋　水位上漲，船位跟著升高。比喻人或事物，隨著憑藉者的地位提升而升高。

造句　這個郊區經過多年的開發，變得熱鬧又繁榮，房價也跟著水漲船高。

相關成語參考

破釜沉舟

車的成語

螳臂當車

車是陸上載人運物的交通工具，古時候的「車」和現在不同，多是以馬拉動前進的馬車。而「車」也可以當做量詞，計算車載物的單位。

故事時光機

春秋時代，衛王非常疼愛兒子蒯聵，特別聘請了才學出眾，品格高尚的賢人顏闔，擔任蒯聵的老師。

然而太子蒯聵性情殘暴，只要遇到不如意的事便大發雷霆，更仗勢著自己是太子，未來會成為國君，完全不管法律，隨意處罰殺戮臣民，顏闔對這種狀況非常憂心，常常規勸太子。

然而蒯聵根本不把老師放在眼裡，只要覺得老師的話不中聽，便怒目相向。顏闔對自己是否有能力教導蒯聵，擔任他的老師感到遲疑，不知道該怎麼辦，於是去請教衛國大臣蘧伯玉。

顏闔說：「我擔任太子老師，如果不引導他向善，放任他胡作非為下去，將來他繼承王位，國家和百姓就遭殃了。但如果嚴厲管教他，以太子殘暴的個性，恐怕有一天，連衛王也保不住我的性命了。我應該怎麼做才好呢？」

　　蘧伯玉想了又想，回答顏闔：「您知道螳螂嗎？有一隻螳螂以為自己力量強大，於是站立在車道中，奮力舉起雙臂，想要阻擋馬車前進，不知道自己的力量不能夠勝任，太過高估自己的能力了！你要小心謹慎。你想用自己的才學盡力教導太子，以為自己的力量足以改變蒯聵的惡習的話，下場就會像是高高舉起雙臂，想要阻擋車子前進，結果被車輪壓得粉碎，不自量力的螳螂一樣。」

　　顏闔聽了蘧伯玉語重心長的分析後，不再猶豫，很快的辭去了太子老師的工作，離開了衛國。典源：《莊子》

學習藏寶箱

1 螳臂當車

解釋　比喻不知自己的能力，妄想阻止能力所不及的事情。

造句　他知道想以個人的力量阻止山林的開發，就像螳臂當車，但還是想盡一點心力。

2 車水馬龍

解釋　馬車往來如流水，連成一條長龍。形容繁華熱鬧的景象。

造句　這條路兩旁都是百貨商城，假日時總是車水馬龍，往來人潮非常多。

3 奔車朽索

解釋　用腐朽的繩子駕馭正在狂奔的馬車。比喻隨時可能發生危險。

造句　這棟房子是快倒塌的危樓，住在裡面如奔車朽索，非常危險。

4 杯水車薪

解釋　用一杯水去撲滅一車木柴所燃起的火。比喻力量薄弱，對事情難有幫助。

造句　這個古蹟重建計畫需要上億元的經費，補助款卻如杯水車薪，幾乎沒有什麼幫助。

5 學富五車

解釋　讀過的書可以裝滿五大車。比喻讀書很多，學識淵博。

造句　張教授學富五車，言談之間常引經據典，有憑有據，有問題可以向他請教。

6 閉門造車

解釋　關起門來，按照一定規格在家造車。比喻只憑主觀想法行事，不考慮是否切合實際情況，結果往往不合用。

造句　產品設計要符合使用者需求，閉門造車的話，很難做出實用的好產品。

7 安步當車

解釋　悠閒安穩的走路，當做是乘車。形容安於貧困簡單的生活；或態度悠閒，緩步行走的樣子。

造句　生了一場病之後，他開始注意健康，每天安步當車的走路上下班，不再整天坐著不動。

相關成語參考

車載斗量、前車之鑑

沐猴而冠

古時帽子稱為「冠」，有身分地位的人才能戴；「冕」又比冠更高級，是王侯所戴的禮帽，而一般平民百姓只能佩戴「巾」。成語中的巾、冠、冕都是指帽子。

故事時光機

秦朝末年，不堪被暴政壓迫的百姓們紛紛起義反抗，這些起義軍的將領們曾約定誰先攻入秦國的首都咸陽，誰就可以稱王。

最後漢王劉邦先率領軍隊攻入咸陽城，劉邦進入咸陽後，立刻廢除秦朝的苛政，軍隊守法又有紀律，得到了百姓的愛戴與支持。

楚王項羽知道劉邦早他一步攻進咸陽後，非常憤怒，他不遵守約定讓劉邦稱王，也帶兵來到咸陽。由於劉邦的兵力比不上項羽，只好退出咸陽，把咸陽城讓給了項羽。

項羽帶大軍進入咸陽城後，放火燒掉了秦王宮殿，然後到處搜刮財物和珠寶，欺壓百姓。這時，有一個臣子勸項羽：「大王，咸陽城一帶山河圍繞，有最安全的天然屏障，土地又肥沃豐饒，百姓不愁吃喝，大王在這裡建國的話，很快就可以稱霸天下了。」

然而項羽卻想趕快帶著搜刮來的財寶回故鄉，他說：「一個人富貴發達了，就要趕快回家鄉向親朋好友們炫耀，不然就像是穿著華麗的衣服，在深夜裡行走，誰看得見呢？誰知道我項羽現在有這麼大的成就？」

勸告項羽的臣子見項羽這麼沒有遠見，感嘆的說：「聽說項羽這個人啊，就像是個性急躁的獮猴學人穿衣戴帽，雖然看起來人模人樣，實際上卻是虛有其表，做不了大事。看來果然

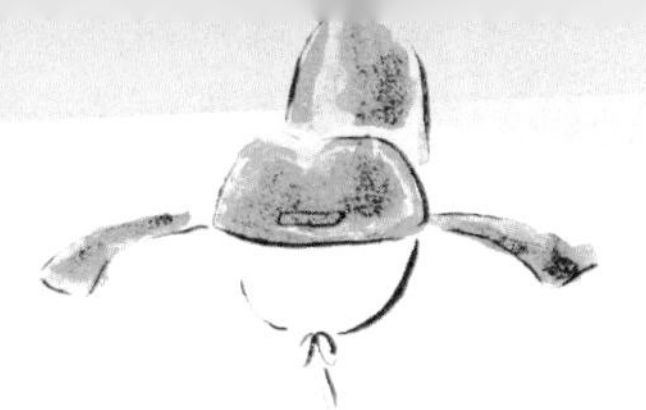

是這樣！」

項羽聽到這些譏諷的話後，殘暴的把這個人處以酷刑。而不聽勸告的項羽，後來被劉邦澈底打敗，羞憤的在烏江邊自盡了。典源：《史記》

學習藏寶箱

1 沐猴而冠

解釋　譏諷人外表看起來不錯，內在卻膚淺粗俗，缺乏遠見。

造句　他滿口髒話，即使穿戴了一身名牌，仍然是沐猴而冠，毫無氣質。

2 冠冕堂皇

解釋　「冠冕」是古時官員戴的禮帽，「堂皇」是古時官員辦事的大堂。形容莊嚴體面，儀表端莊高貴的樣子或表面上光明正大的樣子。

造句　每次犯錯，他總是有許多冠冕堂皇的理由來推卸責任。

3 衣錦還鄉

解釋　形容人事業有成後，光榮顯貴的回家鄉。

造句　經過多年不斷的努力，他終於事業有成，光榮的衣錦還鄉。

4 錦衣夜行

解釋　穿著華美的衣服在黑暗的夜晚走路，沒有人看到。比喻富貴有成就，卻沒有回家鄉接受親友的稱譽，沒有人知道。

造句　這麼多年來他一直錦衣夜行，家鄉的人都不知道他早就是連鎖店的大老闆了。

5 鶉衣百結

解釋　像鶉鳥的尾巴般光禿不全。比喻衣服修綴多處，破爛不堪。

造句　他在外流浪多年，身上鶉衣百結，很需要幫助。

6 天衣無縫

解釋　古代傳說神仙的衣裳不用針線縫製，沒有縫痕。比喻事物或計畫周密完美，沒有任何破綻和缺點。

造句　這個計畫結合了眾人的智慧，天衣無縫，找不出一點缺失。

7 篳路藍縷

解釋　駕柴車，穿破衣，以開闢山林。形容開創事業的艱辛困苦。

造句　這家電子公司能成為世界第一，都要歸功三十年前創業者篳路藍縷的努力。

相關成語參考

張冠李戴、怒髮衝冠、衣冠楚楚、捉襟見肘、宵衣旰食

紙筆的成語

投筆從戎

古時候的筆，是用兔、羊、狼等獸毛製成的毛筆，沾墨後用來寫字，畫畫。因為「筆」是書寫的工具，所以也引申有寫作、寫成文字的意思。

故事時光機

東漢的時候，有一個年輕人名叫班超，平日在官府裡抄寫文件、書籍，賺取微薄的薪水養家活口。

有一天，班超在官府中抄寫文書時，聽說強悍的匈奴再次

侵略漢朝的邊境，威脅百姓生命財產的安全，氣憤的將手中的毛筆摔到地上，說：「大丈夫應該保家衛國，在邊疆殺敵立功，怎麼可以安安逸逸的留在家鄉抄抄寫寫，將生命耗費在筆、硯之間呢？」

班超毅然決然投筆從戎，他先跟隨大將軍竇固出征，北伐匈奴。智勇雙全的班超，從軍之後很快就立下戰功。

有一次，班超率領三十六個士兵出使西域，希望能聯合西域各個國家，共同對付匈奴。班超帶著隨從們，先到鄯善國，希望說服鄯善王與漢朝合作，一起對付匈奴。鄯善國王夾在匈奴和漢朝中間，舉棋不定，不知道該跟哪一國結為盟友。

剛開始鄯善王殷勤的招待班超一行人，過了幾天，態度忽然冷淡起來。班超察言觀色，起了疑心，對隨從說：「我看一定是匈奴的使者也來了，所以鄯善王才會轉變態度。如果鄯善王決定與匈奴合作，我們就有危險了。」為了查明真相，班超趁鄯善王的侍從送酒食來時，故意用已經知道的語氣，問：「匈奴的使者來幾天了？現在住在什麼地方？」侍從以為班超已經知道了，便坦白的說出匈奴使者住在哪裡。

侍從走了後，班超立即召集自己的隨從，說：「我們不能

坐以待斃，不入虎穴，焉得虎子，我們衝入匈奴的營區，一舉消滅他們吧！」大家都同意班超的看法，認為不先出擊就會被消滅，一定要先攻。

當天晚上，大家聽從班超的指揮，夜襲匈奴的營地，把匈奴軍全部殲滅。鄯善王知道後，震驚又害怕，立刻向班超表示願意歸順漢朝，漢朝的聲威大震西域。

接下來，班超陸續平定西域各國，被封為「西域都護」，又受封為「定遠侯」，在西域對抗匈奴三十多年，成為名垂青史的一代英雄人物。典源：《東觀漢記》

學習藏寶箱

1 投筆從戎

解釋　比喻放棄文職，投身軍旅。

造句　王將軍是文官出身，後來投筆從戎，為國征戰沙場，成為一代名將。

2 一筆勾銷

解釋　比喻全數作廢或完全取消。

造句　不要因為他犯了一點小過錯，就把之前的努力一筆勾銷。

3 口誅筆伐

解釋　用言語和文字來揭發、譴責他人的罪狀。

造句　他酒醉駕車肇事逃逸的影片，透過影音媒體傳播後，引來一陣口誅筆伐。

4 紙醉金迷

解釋　燦爛奪目的金飾紙光令人迷醉。比喻奢侈浮華，追求享樂的生活。

造句　他曾經沉迷在紙醉金迷的生活中，直到生了一場大病後才醒悟過來。

5 三紙無驢

解釋　古時候一個讀書人要買驢，寫了三大張紙，卻連個驢字也沒有提到。比喻文辭繁多冗長，內容卻空洞沒有重點。

造句　這封信洋洋灑灑寫了上千字，內容卻三紙無驢，空洞可笑。

6 力透紙背

解釋　寫字時，運筆的力量能穿透紙張。形容人的書法強勁有力，或形容文章見地深刻。

造句　這篇文章評論深刻，力透紙背，不僅指出問題，也提供了很好的解答。

7 躍然紙上

解釋　像在紙上跳動一般。形容描繪的對象生動傳神，非常逼真。

造句　這本小說虛構了一個魔法世界，裡面的人物躍然紙上，就像是真的存在這個世界上一樣。

相關成語參考

洛陽紙貴、夢筆生花、紙上談兵

刀劍的成語

圖窮匕見

刀與劍都是具有殺傷力的武器，出現在成語中常用來表示械鬥的激烈。而刀也是切割、切斷的工具，所以也常有堅決果斷的意思。

故事時光機

戰國末年，強大的秦國野心勃勃想要統一天下，不斷出兵攻打其他的國家。有一次，秦國準備進攻燕國，弱小的燕國已無力抵抗，其他國家畏懼秦國，也不敢出兵相救。

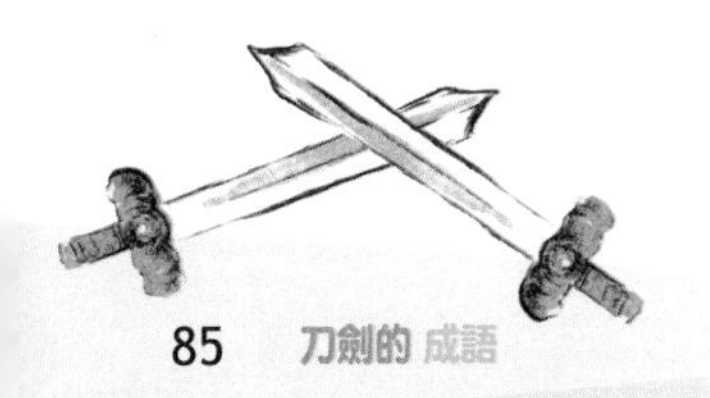

為了解救燕國，燕國的太子丹請來了一位勇士荊軻，派他去刺殺秦王。為了接近秦王，荊軻對太子丹說：「秦國的將軍樊於期背叛秦王，逃到燕國，秦王出重金懸賞他的首級。如果能帶著樊將軍的首級和獻上燕國城池的地圖，秦王一定會親自接見我，我就有機會刺殺他了。」

太子丹不忍心殺樊於期，請荊軻再想其他的辦法。荊軻於是將行刺計畫告訴樊於期。樊於期的父母和親人都被秦王殺害，對秦王恨之入骨，他感謝太子丹的仁義，決定犧牲小我，拔劍自殺，讓荊軻帶著他的首級去見秦王，完成刺秦的任務。

為了行刺秦王，太子丹準備了一把鋒利無比的匕首，交給荊軻，說：「這把匕首上面塗抹了毒藥，一旦被刺中，就會立刻中毒死去。只要能刺傷秦王，我們就成功了。」

荊軻將毒匕首藏在燕國地圖中，帶著樊於期的首級出發到秦國。荊軻準備出發時，太子丹和大臣們都穿上白衣、戴白帽前來送行。荊軻慷慨激昂的在易水邊吟唱：「風蕭蕭兮易水寒，壯士一去兮不復返。」送行的人聽到後都傷心的流下眼淚。

荊軻和大家告別之後，就頭也不回到秦國去了。

秦王聽到燕國有意投降，派使者荊軻帶著樊於期的首級和

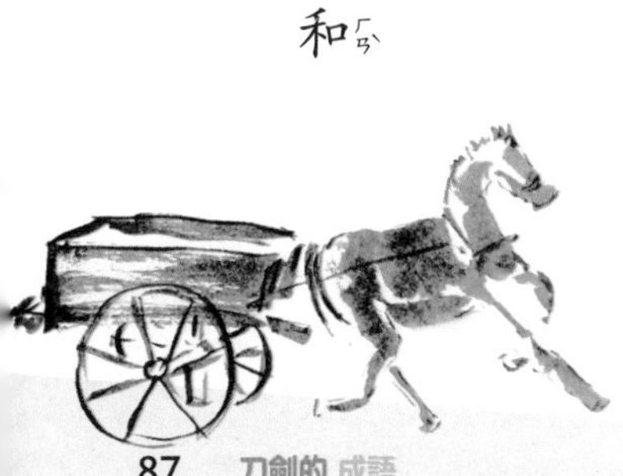

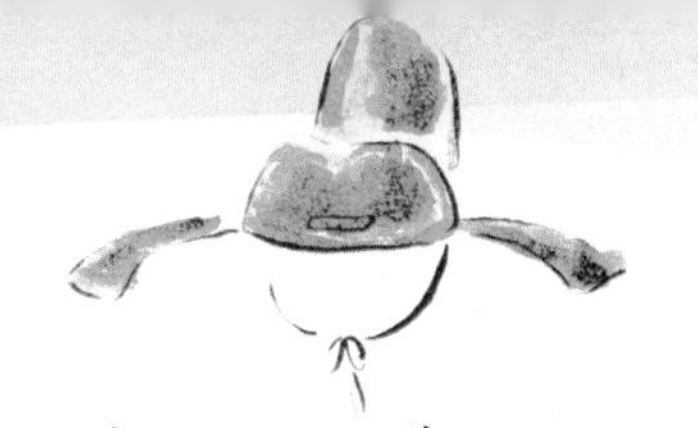

燕國地圖前來求見，高興的立刻在咸陽宮召見荊軻。

荊軻先獻上首級，再獻上地圖。他慢慢的在秦王面前打開地圖，快要到盡頭的時候，毒匕首露了出來。荊軻迅速的拿起匕首，一把抓住秦王的衣袖，向秦王刺去。秦王慌張的跳了起來，拉斷袖子掙脫，荊軻沒有刺中秦王，讓他逃掉了。

最後荊軻的行刺計畫失敗，反而被衛士殺了，壯烈犧牲，不久後，燕國也滅亡了。典源：《史記》

學習藏寶箱

1 圖窮匕見

解釋　比喻事情發展到最後，形跡敗露，現出真相。

造句　為了達到目的，他一再的說謊，最後還是圖窮匕見，被識破了真相。

2 單刀直入

解釋　一刀直接向目標刺去。比喻直截了當的切入問題核心。

造句　這場會議一開始，主席便單刀直入的提出問題，請大家檢討改進。

3 大刀闊斧

解釋　大刀、闊斧都是兵器。形容做事果敢決斷，很有魄力。

造句　新部長一上任，就大刀闊斧的進行了一連串的改革，工作績效因此有顯著的提升。

4 一刀兩斷

解釋　一刀將物品砍斷為二。形容處理事情堅決果斷，乾脆俐落，或比喻堅決斷絕關係。

造句　他們兩人絕交之後，就一刀兩斷再也沒有說過半句話了。

5 心如刀割

ㄒㄧㄣ ㄖㄨˊ ㄉㄠ ㄍㄜ

解釋 形容內心的痛苦，像刀子在割一樣。

造句 看著孩子高燒不退，媽媽心如刀割，著急又心疼。

6 刀光劍影

ㄉㄠ ㄍㄨㄤ ㄐㄧㄢˋ ㄧㄥˇ

解釋 刀來劍去，光影閃爍。形容械鬥激烈，殺氣騰騰的場面。

造句 這部電影中有許多刀光劍影的械鬥場面，被列為限制級。

7 劍及履及

ㄐㄧㄢˋ ㄐㄧˊ ㄌㄩˇ ㄐㄧˊ

解釋 等不及穿好鞋子，掛佩寶劍。形容人行動果決快速，或辦事效率很高。

造句 他想到什麼，便劍及履及立刻執行，個性非常主動積極。

相關成語參考

口蜜腹劍、笑裡藏刀、借刀殺人

弓弩的成語

強弩之末

弓弩可以發射箭矢，運用在戰爭或打獵中，是古代非常重要的武器。而箭搭在弓上發射出去後，力量大、速度快，這些特色也成為了這類成語衍生的含義。

故事時光機

漢朝的時候，北方的游牧民族匈奴常常侵略邊境，危害百姓，是漢朝的一大外患。

漢武帝時，匈奴派使者到漢朝，請求通過和親聯姻，促進

兩國間的友好與和平，恢復邊境的安定。

漢武帝召集文武百官商議這件事：「匈奴王提出和親的要求，要不要答應呢？」當時朝中大臣王恢，曾經在邊境擔任過許多年的官員，很了解匈奴的性格，他說：「大王，匈奴反覆無常，即使讓公主出嫁和親，幾年之後，匈奴一定又會違背盟約，發動戰爭。我認為與其和親，不如直接派出大軍去征討他們。」

大臣韓安國不同意王恢的意見，他說：「大王，出兵攻打匈奴，漢軍必須長途跋涉到幾千里外的地方去作戰。再勇猛的軍隊，再強健的馬匹，走了這麼遠的路之後，一定都很疲憊了。就像從硬弓中射出的箭，到了射程的盡頭便毫無力道，連最輕薄的絲織品都射不穿；也像強勁的風吹到最後，連一根小羽毛都無法飄起。相較之下，匈奴卻在自己的地盤上以逸待勞，占盡優勢，這種情況下大舉進攻匈奴太不明智了，況且，上古以來匈奴就不是屬於我們的子民。得到了他們的土地也不能算開疆拓土，統治了他們的百姓也不能算國富兵強，現在發兵攻打匈奴，派軍隊去千里遠的地方作戰，是不會得到好結果的。還不如與匈奴和親，暫時維持邊境的安定就好。」

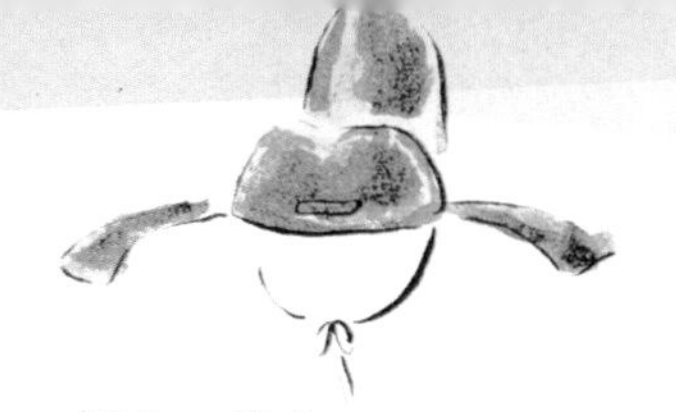

大臣們大多認為韓安國的看法更有道理，漢武帝參考大家的意見後，也贊同韓安國，答應讓公主嫁給匈奴王，與匈奴和親了。典源：《史記》

學習藏寶箱

1 強弩之末

解釋 比喻開始時強大的力量最後衰竭了，無法再發揮效用。

造句 他在球賽上半場耗損了太多體力，下半場如同強弩之末，氣力衰竭，表現越來越差。

2 左右開弓

解釋 雙手都能彎弓射箭。形容雙手能同時或輪流做某一動作，或幾件事情同時在進行。

造句 大廚師左右開弓，同時料理兩道菜，廚藝十分驚人。

3 鳥盡弓藏

解釋 飛鳥射盡之後，就收起弓箭不用。比喻事情成功後，就把曾經出力貢獻的人拋在一邊。

造句 他鳥盡弓藏的勢利態度，沒有人願意為他效力，幫他工作。

4 箭在弦上

解釋 比喻事情為形勢所逼，已經到了不能不做的地步。

造句 明天就是截止日了，箭在弦上，即使熬夜我也一定要把報告寫完。

5 一箭雙鵰

解釋 一箭射到兩隻鵰鳥；比喻做一件事，可以同時達到兩個目標或得到雙倍好處。

造句 以騎腳踏車代替摩托車，省錢環保又可以健身，一箭雙鵰好處多多。

6 一箭之仇

解釋 被射中一箭的仇恨。比喻因某件事情所結下的怨仇。

造句 這次他公開反對你，就是在報過去你批評他的一箭之仇。

7 歸心似箭

解釋 形容想回家的心意非常迫切。

造句 明天就是除夕了，在外地工作的人們歸心似箭的想早點趕回家團圓。

相關成語參考

劍拔弩張、驚弓之鳥、暗箭傷人

珠寶的成語

買櫝還珠

稀有的珍珠與寶石自古以來就具有高貴不凡的價值，讓人想要擁有收藏，成語中便常用珠寶來比喻美好珍貴的人事物。

故事時光機

春秋時代，楚國有一個珠寶商人，眼光獨到，他到各地精心挑選，採購各類的寶石，再賣給富有人家，幾年下來口碑和生意都非常好。

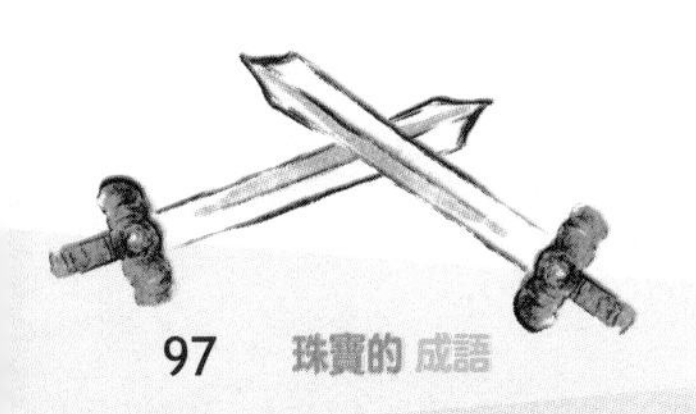

有一次，他買進了一顆名貴的珍珠。商人仔細觀賞這顆珍珠，讚美的說：「又圓又大，色澤光滑又美麗，真是難得一見的珍寶啊！這麼大的寶貝，可要好好保護，不能有損傷啊！」接著又想：「我要找個一流的木匠，製作最精美的盒子來裝這顆珍珠才行。」

幾個月後，盒子完成了，是用最高級的木頭做成，還用香料把盒子內外薰得香氣襲人，盒蓋和盒身上不但雕刻了精緻的花紋，還鑲上翡翠和寶石。

商人把珍珠放入木盒中，得意的說：「用這麼高級的盒子來放珍珠，才能襯托出這顆珍珠的價值非凡啊！」

商人把裝在盒中的珍珠帶到鄭國一個大戶人家，主人一看到就眼睛發亮，讚不絕口的說：「這真是漂亮啊！我從來沒有看過這麼精美的東西！多少錢？再貴我都要買。實在是太美了啊！」

商人說：「您好眼光，一眼就看出我帶來的是不可多得的珍寶呀！」

沒想到，鄭國富人高價買下後，竟開心的取出珍珠，對商人說：「我一定會好好收藏這個盒子的。這顆珍珠還給你，我

不要。」

原來鄭國人讚美的是盒子，以為有價值的也是盒子，而不知道珍珠才是珍寶呀！典源：《韓非子》

學習藏寶箱

1 買櫝還珠

解釋　買了裝珍珠的盒子後退還珍珠。比喻不知輕重，選擇錯誤。

造句　他想和朋友打扮得一樣，不惜花高價買下不適合自己的衣服，實在是買櫝還珠啊！

2 珠聯璧合

解釋　日月像併合的璧玉，星辰像成串的珍珠。比喻人才或美好的事物相匹配，或用來祝賀新婚。

造句　這場婚禮上，新郎、新娘真是一對珠聯璧合的佳偶。

3 珠圓玉潤

解釋　像珠子般渾圓，像玉石般溫潤。形容文辭或歌聲優美圓潤。

造句　她的聲音珠圓玉潤，唱起歌來更加悅耳動聽。

4 明珠暗投

解釋　珍貴的寶珠落入不知價值人的手裡，得不到珍愛。比喻有才能，卻沒有施展的機會，或好人誤入歧途。

造句　他才能出眾，可惜明珠暗投，在公司裡得不到重視，也沒有發揮才能的機會。

5 掌上明珠（ㄓㄤˇ ㄕㄤˋ ㄇㄧㄥˊ ㄓㄨ）

解釋　捧在手掌上的明珠。比喻極為寵愛珍視的人，多指女兒。

造句　林叔叔只有一個女兒，從小就是掌上明珠，十分寵愛。

6 探驪得珠（ㄊㄢˋ ㄌㄧˊ ㄉㄜˊ ㄓㄨ）

解釋　傳說藏在驪龍下巴的寶珠，極為珍貴。形容文章能切合重點，抓到精妙之處。

造句　這篇文章探驪得珠，見解精闢，是難得一見的絕妙好文。

7 拋磚引玉（ㄆㄠ ㄓㄨㄢ ㄧㄣˇ ㄩˋ）

解釋　將磚拋出，引回美玉。比喻自己先發表粗淺的詩文或行動，以引出別人的佳作或行動；有表示謙遜的意思。

造句　座談會中，主持人謙虛的說自己先提出一點淺見拋磚引玉，希望得到大家熱烈的回響。

相關成語參考

滄海遺珠

其他器物的成語

破鏡重圓

縫製衣服的針線，計算數目的算盤，這些古人生活中常見的器物用品，也經常根據它們的功用放入成語中。

故事時光機

南北朝時，陳國人徐德言娶了國君的妹妹樂昌公主為妻，夫妻倆感情非常好。

然而不久後時勢動亂，隋朝派出大軍南下，攻打陳國。陳國國君卻仍然整天飲酒作樂，毫無警覺心，徐德言眼看情勢危急，陳國難逃滅亡的命運，戰爭之中，自己和妻子恐怕生離死別，於是他將一面銅鏡分成兩半，一半自己留著，一半交給樂昌公主，交代她：「這半面銅鏡你好好保存。如果我們夫妻在戰亂中失散了。將來每一年的元宵節，我們就將這半面銅鏡拿到京城的市場叫賣，當做再次相見的信物。」

後來，陳朝果然滅亡了，徐德言和樂昌公主在兵荒馬亂中也分散了。之後，每一年的元宵節，徐德言都會帶著半面銅鏡到京城的市場裡叫賣，看到的人都覺得很奇怪，竟然有人只賣

半面銅鏡，當然沒有人會買。

一年又一年，徐德言希望能找到公主，卻一直沒有消息。有一年元宵節，徐德言又帶著半面銅鏡到京城的市場。這一次，他還沒開始叫賣，就聽到一個人喊著：「賣銅鏡！賣半面銅鏡！賣半面銅鏡啊！在找半面銅鏡的人，快點來買啊！」

徐德言驚喜的走過去，發現那半面銅鏡與自己的半面完全相合，他激動的問賣銅鏡的人：「請問這半面鏡子的主人，現在在哪裡？」

這個叫賣鏡子的人果然是樂昌公主派出來尋找徐德言下落

的人，可惜樂昌公主已經成為了隋朝大臣楊素的小妾，沒辦法再見徐德言了。

徐德言知道後，傷心的在樂昌公主的那半面鏡子上，題了一首詩，感嘆恩愛夫妻卻無法再相見團聚，將鏡子送還給樂昌公主。

樂昌公主看了詩之後，整天以淚洗面，難過得再也不肯吃東西。楊素知道原因後，很同情他們兩人，於是讓樂昌公主回到徐德言身邊，這對夫妻終於破鏡重圓了。典源：《本事詩．情感》

學習藏寶箱

1 破鏡重圓（ㄆㄛˋ ㄐㄧㄥˋ ㄔㄨㄥˊ ㄩㄢˊ）

解釋　比喻夫妻感情破裂後再度復合，或分離後再次團聚。

造句　這對夫妻離婚多年之後，最近破鏡重圓，決定再次攜手共度人生。

2 穿針引線（ㄔㄨㄢ ㄓㄣ ㄧㄣˇ ㄒㄧㄢˋ）

解釋　把線穿到針上。比喻從中拉攏、撮合、交涉。

造句　這個合作案，透過他的穿針引線，很快就找齊資源，開始進行了。

3 一席之地（ㄧˋ ㄒㄧˊ ㄓ ㄉㄧˋ）

解釋　放一張席子的地方。比喻極小的地方或是具有某種程度的地位。

造句　他憑著過人的實力，為自己在組織中爭得了一席之地。

4 錦囊妙計（ㄐㄧㄣˇ ㄋㄤˊ ㄇㄧㄠˋ ㄐㄧˋ）

解釋　裝在錦緞袋子裡的好計策。比喻事先準備妥當，能夠在緊急之時應付意外、解決危機的高明計策。

造句　每當我遇到問題時，媽媽總是能提供錦囊妙計，幫助我解開煩惱。

5 如意算盤

ㄖㄨˊ ㄧˋ ㄙㄨㄢˋ ㄆㄢˊ

解釋　比喻不考慮別人，只做對自己有利的打算。

造句　他在心中打著如意算盤，買東西時不但要有折扣，還要老闆再送他幾個贈品。

6 和盤托出

ㄏㄜˊ ㄆㄢˊ ㄊㄨㄛ ㄔㄨ

解釋　端東西時連同盤子整個托出。比喻毫無保留的全部拿出來或把話全說出來。

造句　看到證據後，他終於不再隱瞞，和盤托出所有的真相。

7 杯盤狼藉

ㄅㄟ ㄆㄢˊ ㄌㄤˊ ㄐㄧˊ

解釋　「狼藉」是指狼休息過的草堆，離開後很凌亂。形容宴席結束後，杯盤散亂的情形。

造句　熱鬧的生日派對結束後，我和姊姊一起把杯盤狼藉的客廳清理乾淨。

相關成語參考

如坐針氈、席不暇暖

數字篇

「一」的成語

一鼓作氣

「一」是最小的數字，如果連一都沒有的話，就全部都沒有了。而數字「一」的成語，除了實指「一次」外，也常表現出「極為」的意思。

故事時光機

春秋時代，齊國出兵攻打魯國，戰爭一觸即發。魯王緊急召集大臣：「齊國這麼強大，魯國這麼弱小，我們的兵力比不上齊國，要怎麼樣才能克敵制勝，保衛魯國的安全呢？」

臣子們聽了都默不作聲，不知道該怎麼辦，只有曹劌充滿自信的說：「大王，別擔心，魯軍還是可能打敗齊軍的。」

魯王憂心的問：「魯國真的打得贏強大的齊國嗎？」曹劌說：「大王，您平時愛護百姓，關心人民的生活，魯國上下一心，已經奠定了勝利的基礎。至於如何用兵取勝，就要到戰場上，根據實際的情勢隨機應變，決定戰略了。」

曹劌於是和魯王同坐在一輛兵車上，赴戰場統率軍隊。兩國的兵馬在長勺這個地方擺好陣勢後，齊國陣營立刻鼓聲大作，準備發動攻擊。魯王正要下令魯軍擊鼓，前進迎戰時，曹

劌阻止他：「大王，作戰的時機還沒有到，不要擊鼓。」

齊軍擊鼓之後，見魯軍一點動靜也沒有，便再次擊鼓，宣告要進攻。這時曹劌仍然阻止魯王：「再等一下，不要下令。」

齊軍看魯軍堅守陣營，不向前迎戰，鼓起的氣勢也弱了下來，一直到齊軍擊了第三次鼓後，曹劌才對魯王說：「大王，現在是擊鼓進攻的時候了！請下令。」

魯軍陣營立刻鼓聲震天，士兵們聽到鼓聲，氣勢如虹的衝進齊軍陣地，齊軍慌忙迎戰，被魯軍打得潰不成軍，兵器掉滿地，顧不得四處奔逃的馬匹。

魯國一出擊就打勝仗，魯王想乘勝追擊，又被曹劌阻止。曹劌仔細觀察地面上齊軍兵車留下的軌跡，再站在車上，瞭望齊軍逃跑的情形後，說：「沒問題了，現在可以追擊了！」魯軍趁勢追趕落敗的齊軍，把齊軍全部逐出魯國，獲得了最後的勝利。

戰爭結束之後，魯王問曹劌：「為什麼要等齊軍擊了三次鼓之後，你才說我方可以擊鼓了呢？」曹劌回答：「打仗的時候，勇氣是最重要的。第一次擊鼓的時候，士兵勇氣百倍，鬥志昂揚。第二次擊鼓時，勇氣就衰弱了些。等到第三次擊鼓

時，士兵們勇氣流失，精神也不集中。齊軍擊鼓三次，士兵已勇氣衰竭；這時候魯軍才擊第一次鼓，士兵勇氣最強旺，一上戰場便奮勇殺敵，在這種情況下，自然會打勝仗。」

魯王又問：「那打了勝仗之後，為什麼不能馬上追擊？」

曹劌說：「像齊國這樣身經百戰的大國，很懂得用兵的道理，雖然魯軍一鼓作氣贏了第一戰，但我擔心齊軍在後方設下了埋伏，所以先下車仔細查看。看到滿地凌亂的車痕，軍旗也丟得到處都是，知道齊軍是在害怕驚慌的情況下逃跑的，可以斷定他們是真的戰敗，後面沒有救兵，這樣才能放心讓魯軍追擊！」

魯王聽了後，讚美曹劌：「原來如此，先生真是精通兵法，用兵如神啊！」對曹劌的戰略，佩服不已。

典源：《左傳》

47

學習藏寶箱

1 一鼓作氣

解釋 比喻做事時要把握一開始的氣勢，鼓足幹勁去做，最容易成功。

造句 登山隊已做好了周全的準備，明天早上要一鼓作氣直攻山頂。

2 一毛不拔

解釋 一根毫毛也不願拔取。比喻人自私自利，非常吝嗇。

造句 他雖然很富有，卻一毛不拔，不可能捐款給慈善團體。

3 一介不取

解釋 「介」通芥，指小草，比喻微小的東西。連微小的東西也不會拿取，形容人的操守正直廉潔。

造句 他擔任財務官數十年來，始終清清白白，一介不取，人品深受信賴。

4 一竅不通

解釋 一個心竅都沒有貫通。比喻人昏庸愚昧，不明事理，或對某事完全不懂。

造句　奶奶本來對怎麼使用手機一竅不通，現在不但會上網，還會發訊息。

5 一蹶不振

解釋　「蹶」是跌倒，跌倒就不能再起來。比喻遭受挫敗，再也無法振作起來。

造句　他遭到一連串的挫折打擊後，整個人一蹶不振，完全失去了鬥志。

6 一籌莫展

解釋　「籌」是計策、辦法。比喻遇到事情時，一點計策也施展不出來，沒有辦法。

造句　看著枯萎的盆栽，他一籌莫展，不知道怎麼樣才能救回這些植物。

7 一勞永逸

解釋　比喻經過一次的勞苦，澈底解決問題，就能獲得長久的安逸。

造句　他召集專家學者召開會議，希望能一勞永逸，解決淹水問題。

相關成語參考

一鳴驚人、一敗塗地、一貧如洗、一揮而就、一意孤行

三的成語

退避三舍

成語中出現數字「三」時，「三」不僅是第三或三個的意思，更常代表的是不只三次，而是更多數量或更多次的意思。

故事時光機

春秋時代，晉獻公寵愛妃子驪姬。驪姬生了兒子後，為了讓自己的兒子繼承王位，想要謀害晉獻公其他的兒子。

晉國公子重耳為了躲避追殺，逃出了晉國，在各國間流浪，先後到了齊、曹、宋、鄭等國，但這些國家的君主對他都不是很尊重，只有楚王把重耳當做貴賓招待。

有一次在宴會中，楚王問重耳：「公子將來如果回到晉國，當上國君，要怎麼報答楚國呢？」重耳說：「大王，感謝您的招待。楚國兵力強大，世界上稀奇珍貴的寶物您都擁有了，我還真不知道該怎麼回報您。」楚王說：「雖然楚國什麼都不缺，但報答恩情是天經地義的事，你還是說說看可以怎麼報答我吧！」

楚王一定要重耳許下承諾，重耳想了想後，說：「如果有

一天我能回到晉國，成為晉王，將來晉國和楚國在戰場上交戰時，我會下令晉國的軍隊向後撤退九十里相讓，以報答您今日的恩情。但是如果這樣做，還不能得到您的諒解，楚軍仍然繼續進攻的話，我也只好下令士兵迎戰了。」

重耳後來真的返回晉國，成為了晉王。五年之後，楚國和晉國在戰場上相遇，重耳親自率領軍隊與楚國作戰，為了信守對楚王的承諾，他下令晉軍退兵九十里，晉國的將軍問：「大王，為什麼要退兵？」重耳說：「我答應過楚王，有一天晉、楚交戰的話，我會退避三舍相讓，我要信守承諾。」

「舍」是古代計算行軍里數的單位，三十里為一舍。楚軍見晉軍一退再退，以為晉軍不敢與楚國作戰，過於輕敵，最後雖然晉軍退避三舍，仍然打了勝仗，擊敗了楚國。典源：《左傳》

學習藏寶箱

1 退避三舍（ㄊㄨㄟˋ ㄅㄧˋ ㄙㄢ ㄕㄜˋ）

解釋　比喻為了避免正面衝突，主動退讓，不與對方相爭。

造句　他蠻不講理的個性，讓大家退避三舍，不想跟他往來，所以他也很難交到朋友。

2 三寸之舌（ㄙㄢ ㄘㄨㄣˋ ㄓ ㄕㄜˊ）

解釋　形容能言善道，長於言辭、辯論的口才。

造句　這位王牌業務員憑著三寸之舌，這半年來每個月業績都是公司第一。

3 三思而行（ㄙㄢ ㄙ ㄦˊ ㄒㄧㄥˊ）

解釋　反覆的考慮之後再行動，比喻做事小心謹慎。

造句　重要的事，一定要三思而行，不要衝動做決定。

4 三生有幸（ㄙㄢ ㄕㄥ ㄧㄡˇ ㄒㄧㄥˋ）

解釋　佛教指三世修來的福，現用來形容非常的光彩、幸運。

造句　能夠親眼見到仰慕的作家，得到親筆簽名，他覺得三生有幸。

5 三陽開泰（ㄙㄢ ㄧㄤˊ ㄎㄞ ㄊㄞˋ）

解釋　祝福新年平安順利，充滿新氣象。

造句　新年到，祝福大家三陽開泰，喜樂平安。

6 垂涎三尺（ㄔㄨㄟˊ ㄒㄧㄢˊ ㄙㄢ ㄔˇ）

解釋　「涎」是口水。口水流很長，貪吃的樣子，或比喻看見別人的東西，想據為己有的樣子。

造句　香噴噴的烤雞一端上桌，弟弟便垂涎三尺的急著開動了。

7 繞梁三日（ㄖㄠˋ ㄌㄧㄤˊ ㄙㄢ ㄖˋ）

解釋　聲音環繞屋梁連續不斷。形容歌聲或音樂非常美妙動聽。

造句　聽完她的演唱會後，美妙歌聲繞梁三日，讓人回味無窮。

相關成語參考

三顧茅廬、約法三章、韋編三絕、連中三元

百千萬的成語

一飯千金

成語中的「千金」常指很多很多的錢財，表現出極為富有或是人事物非常珍貴的意思。

故事時光機

漢朝大將軍韓信年輕時很貧窮，曾經寄住在他的朋友南昌亭亭長家，亭長的妻子瞧不起韓信，故意趁韓信不在家的時候，提前吃飯。韓信回來後，發現亭長一家人已經吃過飯了，卻沒有留一點飯菜給他，明白亭長家不願意再收留他，便離開了。

韓信沒有親友可以投靠，肚子餓時便到河邊釣魚。有幾位老婦人在河邊清洗衣物，其中一位老婦人知道韓信常常沒有飯吃，餓著肚子後，很同情他，便送了一些飯菜給韓信，一連送了十幾天，韓信感激的對老婦人說：「謝謝，將來我一定會報答您的。」

老婦人聽了後，不高興的說：「我是看你總是挨餓，所以才送飯給你吃，並不是希望你將來能報答我才這麼做的。年輕

人，有志氣的話就好好努力，不要靠別人幫助。」

韓信後來得到蕭何的賞識，推薦給漢王劉邦。劉邦任命韓信為大將軍，韓信帶兵作戰，協助劉邦擊敗了項羽，統一天下，是建立漢朝的功臣之一，被封為楚王。

韓信功成名就之後，送給南昌亭亭長一百枚銅錢，對他說：「當年你幫助過我，可惜卻目光短淺，好事不能做到底，所以我只給你一百枚銅錢。」接著又找到當年送飯給他的老婦人，贈送她一千兩黃金，報答她在困難的時候，不求回報，真心幫助自己的恩情。典源：《史記》

學習藏寶箱

1 一飯千金

解釋　比喻曾經接受過別人的恩惠，心存感激，日後給予重大的回報。

造句　王老闆事業有成之後，一飯千金的回報了當年資助他念書的恩人。

2 一字千金

解釋　對著作能增損一字的人給予千金重賞。比喻作品文辭精妙，結構嚴謹，或形容詩文的價值極高，也指書法作品價值不凡。

造句　這位名書法家的大作，不只是一字千金，珍貴到即使千金也買不到。

3 一擲千金

解釋　大量的金錢輕易一扔。比喻不惜金錢，任意揮霍。

造句　只要是喜歡的東西，即使一擲千金他也要買下，非常奢侈。

4 一呼百諾

解釋　在上位者一呼喚，在下位者便連聲應諾。形容地位顯赫，隨從眾多。

造句　他有錢又有勢，在商場上一呼百諾，非常威風。

5 千篇一律（ㄑㄧㄢ ㄆㄧㄢ ㄧˊ ㄌㄩˋ）

解釋　形容說話、文章或事情形式呆板沒有變化。

造句　他喜歡充滿變化與挑戰的工作，不想過著千篇一律的生活。

6 千錘百鍊（ㄑㄧㄢ ㄔㄨㄟˊ ㄅㄞˇ ㄌㄧㄢˋ）

解釋　指鐵鍛鍊成鋼的過程；比喻文章經過多次的潤飾或人生歷經許多磨練。

造句　他今日的成就，是經歷無數挫折與難關後千錘百鍊而成的。

7 包羅萬象（ㄅㄠ ㄌㄨㄛˊ ㄨㄢˋ ㄒㄧㄤˋ）

解釋　比喻內容豐富，種類繁多，該有的都有。

造句　這家網路購物商城，販賣的物品包羅萬象，可以滿足顧客所有需求。

相關成語參考

一諾千金

雙數字的成語

朝三暮四

兩個數字一起使用，常有對照、加強的意思，像是十戶人家，九戶無人居住，透過這樣的對比，把情境或問題更加突顯出來。

故事時光機

戰國時代，宋國有一個人特別喜愛猴子，在家中飼養了一大群猴子，人們都叫他「狙公」。

和猴子相處久了，狙公了解猴子想表達的意思，猴子也聽得懂狙公的話。然而狙公的家境並不富裕，為了飼養猴子，狙公一家人省吃儉用，把錢用來買橡樹的果子「橡實」給猴子們吃。但是猴子越來越多，狙公卻沒有多餘的錢可以買橡實了，只好減少每隻猴子的食糧。

狙公很苦惱，原本一隻猴子一天要餵八升橡實，現在得減少為一日七升才行。他太了解這些猴子的性情，減少橡實的話，猴子們不但不同意，還會大吵大鬧，該怎麼辦呢？

狙公想了又想，最後想出了一個方法，他走到猴子群中，緩緩的對牠們說：「跟大家商量一下，以後我每天早上餵你們

三升橡實，下午餵四升橡實。你們覺得怎麼樣？」

這群猴子聽了後，氣憤的跳上跳下，大聲吱吱叫向狙公表達不滿。過了一會兒，狙公又說：「好了，大家不要生氣，這樣吧！以後每天早上餵你們吃四升橡實，下午餵三升橡實。你們覺得怎麼樣？」

猴子們聽到早上的橡實由三升變成四升，覺得食物增加了，高興的在地上翻滾起來，向狙公表達謝意。

每天早上三升橡實，晚上四升橡實，和早上四升橡實，晚上三升橡實，總數是一樣的，但猴子不明白這個道理，以為早

上從三升變成四升就是食物增加了，看不清事實，自以為是的感到滿足！典源：《莊子》

學習藏寶箱

1 朝三暮四

解釋　現在用來比喻人心意不定，反覆無常。

造句　他一個工作做不滿一個月，又想換另一個工作，朝三暮四，每個工作都做不長久。

2 一舉兩得

解釋　比喻做一件事，同時得到兩種好處。

造句　閱讀既能學習新知識，又能提升寫作能力，真是一舉兩得。

一波三折

解釋　比喻事情曲折，變化很多。

造句　這次的國外旅遊，從機票和飯店都出問題，真是一波三折。

4 一國三公

解釋　一國有三個公侯。比喻領導者太多，事權不統一，讓人不知如何遵從。

造句　這個部門由三個經理共同管理，一國三公的情況下，下屬常不知該聽誰的指示才對。

5 七上八下

解釋 形容心情起伏不定，無法定下心來的樣子。

造句 明天就要放榜了，哥哥的心情七上八下，不知道有沒有考取理想科系。

6 九死一生

解釋 形容經歷極大的危險後倖存下來。

造句 那場地震，他被壓在倒塌的屋子裡，情況九死一生，好不容易被搶救了出來。

7 十室九空

解釋 十戶人家，九戶無人居住。形容因天災人禍造成人民窮困流亡的淒涼景象。

造句 遭到土石流侵襲後，山下的村子現在十室九空，幾乎無人居住了。

相關成語參考

一暴十寒、三令五申、九牛一毛、一言九鼎、兩面三刀

其他數字的成語

七步成詩

成語中的其他數字大多會與實際情況相合，像五體指的是頭和雙膝、雙肘，七竅指的是兩眼、兩耳、兩鼻孔及口。數字「九」則常是極多、極高的意思。

故事時光機

三國時期，魏王曹操的兒子曹植，從小便才華洋溢，文筆出色。一次曹操看到他的文章，寫得太好了，驚訝的問：「這不是你寫的，是請人幫你寫的吧？」曹植恭敬的回答父親：「我雖然年紀小，但確實能出口成文，下筆成章，您可以當場出題目讓我寫，我不需要請人幫忙。」

曹操喜愛文藝，當修建的銅雀臺完工後，他登臺視察，並要幾個兒子當場寫文章做紀念。其中曹植的〈銅雀臺賦〉寫得最好，曹操看了後讚賞不已，更加喜愛曹植。

曹操死後，曹植的哥哥曹丕繼任為東漢的丞相、魏王，他很快便廢掉漢獻帝，篡位稱帝，成為魏文帝。曹丕稱帝後，對幾個弟弟仍然充滿了戒心，尤其嫉妒過去深受父親看重與疼愛的曹植，想找機會謀害他。

有一次，曹丕對曹植說：「你的才氣天下聞名，我命令你七步之內完成一首詩，作不出來就是藐視我，要處重刑。」

曹植知道哥哥的用意，悲痛的邊走邊吟，在七步內作出了一首詩：

煮豆持作羹，漉菽以為汁，
萁在釜底燃，豆在釜中泣，
本是同根生，相煎何太急？

這首詩的意思是把豆子煮熟做成羹湯，濾去豆渣留下豆汁；豆莖在鍋子下猛烈燃燒，豆子在鍋子裡悲傷哭泣。不論是豆子或豆莖，都是從同一個根上長出來的，就像我們兄弟一樣，為什麼現在要這樣苦苦相逼，急迫的互相煎熬呢？

曹丕聽了之後，感受到弟弟對骨肉相殘的悲憤心情，神色羞愧的低頭，以後不再故意迫害曹植了。

典源：《世說新語》

學習藏寶箱

1 七步成詩

解釋　形容文思敏捷，詩文寫作有才氣。

造句　他希望自己有七步成詩的才華，提起筆就能寫出好文章。

2 五體投地

解釋　本指虔心跪拜的致敬儀式，後比喻非常的欽佩對方。

造句　他高超精湛的演奏技巧，讓樂迷們佩服得五體投地。

3 六神無主

解釋　形容心神慌亂，沒有主張的樣子。

造句　好友突然說要跟他絕交，他一下子六神無主，不知道怎麼辦。

4 七竅生煙

解釋　眼、耳、鼻、口都冒出火焰來，形容非常憤怒。

造句　新買的手機被偷走了，他氣得七竅生煙，跳腳大罵小偷。

5 八面玲瓏

解釋　本指屋子四面八方寬敞明亮。後形容人言行手段巧妙圓滑，能應付各種狀況，討好各種人物。

造句　他待人處事八面玲瓏，什麼狀況都能應付，一定做到讓大家都滿意。

6 才高八斗

解釋　比喻才華學識高強出眾。

造句　聽過他演講的人，都知道他才高八斗的美名並非虛傳。

7 九霄雲外

解釋　形容天上極高遠的地方，距離遙遠到看不見。

造句　他一考完試，所有的壓力都被拋到九霄雲外，走路都像在跳舞般輕快。

相關成語參考

四面楚歌、五日京兆

綜合篇

顛倒黑白

顏色的成語，有單純顏色的形容，如百花盛開時萬紫千紅的色彩。而黑白連用時，通常就不單是形容顏色，還比喻是非善惡。

故事時光機

戰國時代，楚國大臣屈原學識淵博，通曉治理國家的道理，受到楚懷王的信任。

然而朝中的大臣們嫉妒屈原的賢能和受到重用，常在楚懷王面前批評屈原，捏造不實的謠言。楚懷王聽多了後，受到影響，疏遠了屈原，也不再讓他參與國家大事。

正直又忠心的屈原一直希望有一天楚懷王可以醒悟，看清誰是忠臣？誰是奸臣？讓他再次為國家效忠。可惜屈原不但沒有再受重用，最後還被放逐到外地，遠離朝廷。

屈原被流放後，心情沮喪，面容憔悴，披頭散髮的走到江邊，一位老漁夫看到他，問：「你不是三閭大夫屈原嗎？怎麼會在這裡？」屈原悲憤的說：「整個世界都是混濁的，只有我一個人是清白的。所有的人都喝醉了，只有我一個人清醒。所

以，我被流放到這裡。」

老漁夫說：「那麼你為什麼不跟大家一樣？何必堅持高尚的品德，結果卻被放逐呢？」屈原說：「我寧可投入江河，葬身在魚腹中，也不願意在朝廷裡和奸臣們同流合汙，做出損害自己品格的事情。」

屈原憂心國家的處境，卻無能為力，悲憤之下創作出許多不朽的文學作品，其中在〈懷沙〉這篇賦中寫到：「變白以為黑兮，倒上以為下。」訴說自己受到冤屈，被貶到偏僻的地方，為國君被顛倒黑白的小人迷惑，不能辨別是非感到痛心。

滿心悲憤的屈原，最後跳入汨羅江中了結自己的生命。

典源：《九章‧懷沙》

學習藏寶箱

1 顛倒黑白

解釋　把黑的說成白的，白的說成黑的。比喻善惡不分，歪曲事實，混淆是非。

造句　明明是他的錯，卻顛倒黑白的指責別人，還好最後真相大白。

2 青紅皂白

解釋　指各種不同的顏色。比喻事情的是非對錯和經過情形。

造句　在還沒有分清楚事情的青紅皂白之前，不要輕率的下結論。

3 青黃不接

解釋　舊有的黃熟穀物已吃完，新長出的綠色禾苗還沒成熟。比喻新與舊間難以銜接，缺乏不足。

造句　颱風過後又淹水，造成蔬果收成青黃不接，菜價節節高漲。

4 爐火純青

解釋　古時候煉丹成功時，爐火火焰會轉成純青色。比喻學問、修養、技術、功夫等，到達了精善完美的境地。

造句 電影中女主角爐火純青的演技，獲得了影評人一致的好評。

5 萬紫千紅

解釋 形容百花盛開，色彩絢麗的景象。

造句 春天到了，山林裡百花盛開，萬紫千紅，是郊遊踏青的好時節。

6 慘綠少年

解釋 穿著暗綠衣服的少年。比喻青春年少，或心中徬徨的少年。

造句 他在慘綠少年時期，常覺得沒有人了解自己，心情寂寞。

7 明日黃花

解釋 錯過重陽節欣賞菊花最好的時間，之後便毫無興味了。比喻衰落過時的事物。

造句 這幾條裙子雖然還很新，對姊姊來說卻已是明日黃花，不流行也不好看了。

相關成語參考

青出於藍

季節的成語

春風得意

季節的成語常和自然景象與植物的變化有關，像春天充滿生機，萬物復甦，所以經常用來表示美好的時光與景物。

故事時光機

孟郊是唐朝著名詩人，他出身貧苦的家庭，父親很早就去世了，母親獨自含辛茹苦的把他撫養長大。

孟郊聰穎好學，才華出眾，長大後多次參加科舉考試，卻都沒有考上。孟郊常感嘆，自己詩歌和文章都寫得很好，為什麼考不上呢？很希望早點出人頭地，好好的奉養母親。

貧窮的生活，坎坷的際遇，讓孟郊的詩中常常出現怨、苦、傷、痛、病、恨等悲苦的字眼，被稱為「苦吟詩人」。

到了孟郊四十六歲那一年，終於金榜題名，考中了進士。放榜的時候是溫暖的春天，京城長安百花盛開，花團錦簇。孟郊穿著新衣服，別上彩帶紅花，騎著駿馬，在和煦的春風中遊覽長安城。

美麗的景色使他讚嘆不已，高中進士的喜悅讓他得意萬

分，詩歌也不再悲苦，寫下了著名的〈登科後〉：

昔日齷齪不足誇，今朝放蕩思無涯；
春風得意馬蹄疾，一日看盡長安花。

意思是說自己過去的處境不如意，心情苦悶，考上進士後，一掃過去憂鬱的心情，如今志得意滿，自由暢快、無拘無束。神采飛揚的騎著馬兒奔馳在春風裡，一天的時間就看遍了長安城燦爛的春花，將喜悅心情表達得淋漓盡致。典源：〈登科後〉

學習藏寶箱

1 春風得意

解釋　形容人做事順利，志得意滿的神情。

造句　他一連得了好幾場比賽的冠軍，春風得意的樣子，讓人好羨慕。

2 春花秋月

解釋　比喻美好的時光與景物。

造句　他很懷念和好朋友共度的那段春花秋月美好時光。

3 秋風過耳

解釋　秋風吹過耳邊。比喻漠不關心，毫不在意。

造句　他很相信自己的能力，把批評都當成秋風過耳，完全不放在心上。

4 秋毫無犯

解釋　「秋毫」是鳥獸在秋天時生出的細毛。比喻嚴守紀律，對任何東西都不會侵犯取用。

造句　參觀美麗的花園，要做到秋毫無犯，不要折損任何花木。

5 平分秋色（ㄆㄧㄥˊ ㄈㄣ ㄑㄧㄡ ㄙㄜˋ）

解釋　比喻雙方一樣出色，分不出高低。

造句　這次比賽，評審認為他們兩人表現平分秋色，難分高下，所以並列第一。

6 明察秋毫（ㄇㄧㄥˊ ㄔㄚˊ ㄑㄧㄡ ㄏㄠˊ）

解釋　可以看見秋天鳥獸新長出來的細毛。比喻人目光敏銳，能看出極細微的地方，洞察事理。

造句　他是一位明察秋毫，判案公正的大法官。

7 冬扇夏爐（ㄉㄨㄥ ㄕㄢˋ ㄒㄧㄚˋ ㄌㄨˊ）

解釋　冬天的扇子，夏天的火爐。比喻不合時宜，沒有用處。

造句　這座南方小島天氣炎熱，厚重保暖的羽絨外套就像冬扇夏爐，完全派不上用場。

相關成語參考

春風化雨、一葉知秋、一日三秋

地理的成語

完璧歸趙

和地理有關的成語，許多來自歷史故事，有其時代背景，像「直搗黃龍」就和宋朝名將岳飛對抗金人的故事有關，必須先了解故事，不容易從成語的字面上推測意思。

故事時光機

戰國時代，趙王得到了一塊價值連城的寶玉「和氏璧」。秦王知道後，派使者送信給趙王，表示願意用秦國十五座城池和趙王交換和氏璧。

趙王召集大臣們商量，有的大臣說：「大王，不可以答應，秦王向來言而無信，恐怕我們送上了和氏璧，他也不會真的給我們城池。」有的大臣說：「大王，不答應的話，秦王會不會一怒之下，出兵攻打趙國呢？」

趙王覺得兩邊說的都有道理，但最後還是畏懼強大的秦國，派使者藺相如帶著和氏璧去秦國。藺相如出發之前對趙王說：「大王，您放心，如果秦王不遵守約定，將十五座城池割給趙國，我一定會把和氏璧帶回來的。」

藺相如到秦國後，雙手捧著和氏璧，恭敬的獻給秦王。秦王拿到和氏璧後仔細的欣賞，不停讚美：「太美了，稀世珍寶，真是稀世珍寶啊！」

秦王得到和氏璧後，不再看藺相如一眼，藺相如見秦王完全沒有要遵守約定交換城池的意思。便走上前，說：「大王，和氏璧上面有個小斑點，您沒發現嗎？我指給大王看！」

秦王想知道哪裡有斑點，把和氏璧交給藺相如後，藺相如拿著和氏璧立刻往後退，站在一根柱子旁邊，嚴肅的對秦王說：「大王提出用十五座城池交換和氏璧，我認為平民之間的交往，都要講究誠信，何況是兩個國家之間的往來呢！如果大

王不想用十五座城池交換，請把和氏璧還給趙國。如果大王現在想要用武力奪取和氏璧，我就把和氏璧撞碎在柱子上！」

藺相如高舉手中和氏璧，作勢要撞柱子。秦王怕他真的撞碎了和氏璧，立刻婉言道歉，並召來官員拿出地圖，指明哪十五座城池要劃歸給趙國，再和藺相如約定五天之後，在大殿上舉辦隆重的儀式，交換和氏璧。

五天之後，交換典禮上，藺相如對秦王說：「我受到趙王的信任，不能辜負所託，已經派人帶著和氏璧返回趙國了。等到秦國把十五座城池割給趙國後，趙國一定立刻奉上寶玉。秦

國這麼強大，趙國絕對不會違背約定。」

秦王聽到和氏璧已經送回趙國，雖然氣憤，但即使殺了藺相如也拿不到和氏璧，也不可能真的用十五座城池交換，最後取消了交換計畫，讓藺相如回去了。

藺相如完璧歸趙，又沒有引發戰爭，趙王認為他立下大功，任命他做了大官。典源：《史記》

學習藏寶箱

1 完璧歸趙

解釋 比喻物品完好的歸回到原來主人的手中。

造句 失竊了幾十年之後，這幅名畫終於被尋獲，完璧歸趙的送回了原先收藏的美術館。

2 朝秦暮楚

解釋 時而靠向秦國，時而靠向楚國。比喻意志不堅，沒有一定的原則，或形容四處漂泊，行蹤不定。

造句 他常常換工作，朝秦暮楚，每個工作都做不長久。

3 得隴望蜀

解釋 平定隴西之後，又想得到蜀地。比喻人貪心不知滿足，欲望越來越高。

造句 這件事情他已經出了許多力，你還要他幫忙出錢，不要得隴望蜀這麼貪心。

4 吳越同舟

解釋 吳、越兩國是敵國，但有危難時也會互相救助。比喻在患難時化仇為友，共度難關。

造句 這兩個人在危急關頭放下了仇怨，吳越同舟一起解決問題。

5 直搗黃龍（ㄓˊ ㄉㄠˇ ㄏㄨㄤˊ ㄌㄨㄥˊ）

解釋 宋朝名將岳飛討伐金人時，以直攻入金人都城黃龍府勉勵部下。比喻直接攻入敵方的主要根據地或深入核心。

造句 經過多日的跟監埋伏，警方今日直搗黃龍，破獲了這個跨國詐騙集團。

6 暗度陳倉（ㄢˋ ㄉㄨˋ ㄔㄣˊ ㄘㄤ）

解釋 比喻出其不意、從旁突擊的戰略，或私底下暗中進行的事。

造句 這家公司以合法掩護非法，暗度陳倉，進行了不少違法的交易。

7 世外桃源（ㄕˋ ㄨㄞˋ ㄊㄠˊ ㄩㄢˊ）

解釋 比喻風景優美，環境清靜，人很少的地方；或心中理想美好的世界。

造句 這個高山上的小部落，就像世外桃源般幽靜美好。

相關成語參考

樂不思蜀、杞人憂天、夜郎自大、邯鄲學步、楚材晉用、秦晉之好

方位的成語

南轅北轍

當成語中出現「東」、「南」、「西」、「北」，常指的是實際的方位，比如南邊的大樹下、太陽從西邊落下等等。當兩個方位連用時，就常有距離遙遠的意思。

故事時光機

戰國時代，魏王野心勃勃的想要擴充領土，準備出兵攻打趙國。魏國大臣季梁當時正在出使其他國家的路上，一聽到消息，立刻折返，馬不停蹄的趕回魏國。

季梁一回來，還來不及梳洗乾淨，就匆匆忙忙奔向王宮，求見魏王。魏王看季梁蓬頭垢面，衣服上沾滿塵土，就急著趕來見自己，吃驚的問：「發生什麼事？你怎麼突然回來了？」

季梁說：「大王，是這樣的，我在路上遇到了一個人，他的馬車走在往北方的大道上，說他趕著要去楚國。」魏王：「不對呀！楚國在南方，怎麼會往北走呢？」

季梁說：「臣也是這麼告訴他。可是這個人說：『沒關係，駕車的馬可是一匹跑得很快的千里馬。』我說：『你的方向不對，馬跑得越快，離楚國就越遠呀！』這個人又說：『不要緊，我身上帶了很多錢，不怕不夠用。』我說：『錢再多，往北走還是到不了楚國。』這個人還是執迷不悟的說：「『我的車夫本領一流，很會趕車。沒什麼好擔心的。』最後還是向著北方駛去了。」

魏王驚訝的說：「這個人真是太糊塗了呀！」此時季梁看了看魏王，語重心長的說：「大王，您希望成為天下的霸主，讓大家都信服您，就應該從施行仁政，講求信義做起。如果憑著強大的國力和精銳的軍隊，去侵略其他的國家，不但無法建立威望，反而會招來怨恨。就像那位要到南方的楚國去，卻駕

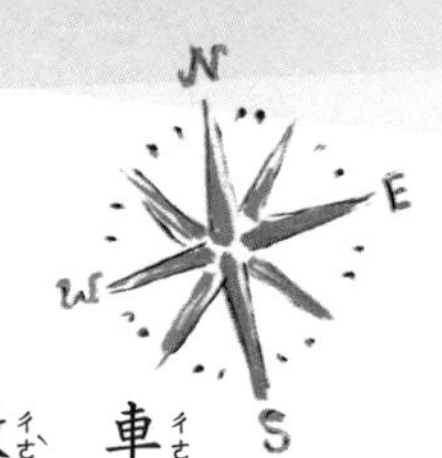

車向北走的人一樣，所要達到的目標和實際進行的方向南轅北轍，是永遠無法到達目的地的。」

季梁藉此勸告魏王，希望魏王打消出兵攻打趙國的念頭，最後魏王也採納他的建言，放棄了攻打趙國的計畫。典源：《戰國策》

學習藏寶箱

1 南轅北轍

解釋 (1) 比喻行動和志向相反，多用於方法、措施不當的情形。

造句 你一直說飲食健康的重要，卻又不停的吃零食，想法和作法真是南轅北轍。

解釋 (2) 比喻兩者毫不相干。

造句 這兩件事南轅北轍，完全沒有相同點，是不能一起討論的。

2 天南地北

解釋 比喻距離遙遠，或話題不限，什麼都談。

造句 他遇到了好久不見的同學，兩人天南地北聊個不停，非常開心。

3 南柯一夢

解釋 在南邊的大樹下做了一場榮華富貴的夢。比喻人生如夢，富貴得失無常，容易幻滅。

造句 生意失敗之後，他常感嘆過去奢華的生活就像是南柯一夢。

4 河東獅吼

解釋 比喻妻子發怒生氣。

造句 隔壁傳來陣陣河東獅吼，連別

棟的鄰居都聽得到。

5 東食西宿

解釋 在東家吃飯，到西家過夜。比喻貪心的想在兩邊都得到好處。

造句 他常常東食西宿，利用朋友們的好意，占人便宜。

6 剪燭西窗

解釋 在西窗燭光下長談。比喻夜晚與親朋好友相聚談心。

造句 旅居國外的好朋友難得碰面，他們剪燭西窗，愉快的聊了整個晚上。

7 日薄西山

解釋 太陽迫近西邊的山。比喻人年老體衰，生命將盡，或事物接近衰亡。

造句 這家餐廳口碑不佳，沒什麼顧客上門，生意日薄西山，快要倒閉了。

相關成語參考

東山再起、坦腹東床、東窗事發、東山之志、東道主人、聲東擊西

成語遊樂園

人物成語

填上□中的字，完成成語。

愚公移□

項莊舞□

管寧割□

太公釣□

莊周夢□

東施效□

塞翁失□

孔融讓□

葉公好□

五官成語

填上□中的字，把是「五官」的圈起來。

□不識丁

□濡目染

□不釋卷

炙□可熱

觸目驚□

面紅□赤

嘔□瀝血

出□成章

明目張□

數字成語

填上中的字，相加之後數字最大的打勾。

（　）入木□分 ＋ □勞永逸

（　）□神無主 － 垂涎□尺

（　）□死一生 ＋ □人成虎

（　）□面玲瓏 － □體投地

（　）□竅生煙 ＋ 十室□空

（　）□霄雲外 － □生有幸

動物成語

填上□中的字，再把相同的動物連在一起。

□角掛書

縱□歸山

打草驚□

指□為馬

聞□起舞

天□行空

殺□儆猴

□死誰手

與□謀皮

汗□功勞

□衣對泣

畫□添足

比喻成語

這些成語都使用了比喻法，填上□中的字，完成成語。

如□添翼

如□貫耳

如□得水

急如□火

心如□割

從善如□

目光如□

守口如□

日月如□

成語填空

填上□中的字，完成成語。

			錦ㄐㄧㄣˇ		夜ㄧㄝˋ	行ㄒㄧㄥˊ
	然ㄖㄢˊ	紙ㄓˇ				
			添ㄊㄧㄢ			
		春ㄔㄨㄣ		秋ㄑㄧㄡ		
				毫ㄏㄠˊ		
		得ㄉㄜˊ		無ㄨˊ		
		意ㄧˋ				

【專家推薦】

從閱讀有趣生動的經典中，鍛鍊精確到位的表達能力！

文／臺南市國語文輔導團專任輔導員、閱讀推手彭遠芬

成語的學習，是從過去的年代到現代孩子，都相當重要的語文競爭力基礎。在過去的填鴨式教育年代，老師往往習慣用死背的方式，要我們將成語字典裡的內容統統塞進腦袋中；而教改走到今日，當強調活化學習的社會風氣漸長，更多家長急著想知道，成語可以怎麼學，才能讓孩子輕鬆愉快的內化並應用？我該在孩子幾歲的時候，採用何種適當的方式，才能讓我的孩子贏在起跑點？

我想，《晨讀10分鐘：成語故事集2．生活篇》這套完整配備劇場版CD的讀本，就可以為老師和家中有小學生的家長，解決孩子在成語學習上的問題，並提供一條更有

趣的路徑來協助學習，對親師生來說都是一大福音。

親子天下出版社的「晨讀10分鐘」系列讀物，就是秉持著要讓孩子能在簡短的時間之內，吸收正向而又精華之學習內容的理念，從中學生系列發展到小學生各種文體的好文彙整；而這次的成語故事系列，用簡明卻生動的「歷史典故」為基底，讓孩子就算是在分散、短暫的時間之內，也能逐漸累積具備經典文學深度的知能和素養。

《晨讀10分鐘：成語故事集2．生活篇》依照動植物、人物、自然等八大主題，整理出人們耳熟能詳的常用成語，由有趣的「故事時光機」，引領孩子透過成語形成的背景故事，親近對於閱讀理解力尚未完全成熟的小學生難以望文生義的四字成語，並隨篇附錄其他意思類似的成語，讓孩子在對意涵產生興趣與共鳴的同時，能順水推舟，乘勝追擊，藉由認識相關成語，加深印象，且能在生活化的例句中，模仿應用。

不論是班級運用或者親子共讀，本套書以成語背景故事為主軸的編輯方式，無疑是讓我們能帶領孩子趁機認識歷史、從典故中了解時代背景的絕佳媒介。平時，若是直接對孩子灌輸歷史故事，對孩子而言不一定是一件饒富興味的學習樂事，但是，本套書將複雜的歷史故事簡化，並善用生動的對話，引起孩子的閱讀動機，師長若是能藉此機會延伸介紹相關的歷史背景，必定能拓展孩子的視野寬度，同時也加深對於成語意義的印象。

優質的典故文本，也是師長引導孩子學習分析人物性格，進而加強成語意涵連結的教育機會。在這個資訊化時代，認識成語不僅能使談吐與文章的情感表達更加精確，更能從古人風範效法為人處世的精神；若能再搭配隨書配備的CD，讓孩子隨時隨地收聽、浸潤於有趣的歷史故事中，成語必能不再淪為考試的工具，而是能豐富孩子表達層次的成長良伴！

專家推薦

以心智圖為架構，使成語更貼近生活

文／暢銷作家、國文作文老師王韻華

很榮幸接到親子天下的邀約，為《晨讀10分鐘：成語故事集2．生活篇》寫推薦序成語是中華文化的瑰寶，結構嚴謹、語意豐富含蓄，短短四個字，能具體而微的將一篇故事一語道盡。

很可惜的是，孩子學習成語時，往往不甚理解，只囫圇吞棗的記下成語的意思，在教育現場，孩子誤用成語的狀況比比皆是，我自己曾改過孩子寫的「他是班上的『害群芝麻』」，或是「戰爭畫面令人嘆為觀止」，都令老師改得哭笑不得。

很多成語背後都有豐富的典故，說典故太沉重，不如當故事來聽，那該多有趣！

翻開《晨讀10分鐘：成語故事集2．生活篇》時，令我眼睛一亮，深深著迷，一個接著一個故事，透過流暢的語句、生動的摹寫，把成語典故的情境活靈活現的呈現於紙。

若是不想用「看」的，本書設計了CD，孩子可以用「聽」的，無論是早晨上學前、睡前聽故事、出遊塞在車陣中，都是輕鬆快樂又無壓力的學習方式。

本書以主題式編排，用心智圖的方式延伸，在認識一個成語時，可以認識相關聯的成語，讓孩子有系統的認識成語。而例句編寫則是讓了解成語意思卻不知該如何運用的孩子，有參考依據，也讓成語更貼近生活。

另外，這本書我也推薦給國中生，若是國小沒有特別加強成語認識，升上國中常常會出現看不懂成語，導致面對題目無法作答的困擾。一〇八課綱上路後，國文科範圍變得無邊無際，許多孩子都在國文這科吃足苦頭。國中必須面對文言文閱讀，本書選文出自《戰國策》、《莊子》、《世說新語》、《左傳》等書，這些古籍都是文言文考試非常愛出題的書冊之一，若是能以輕鬆的方式認識故事，在看到整篇猶如摩斯密碼的文言文時，心底便會對文意有大致的理解。

七歲前是孩子的黃金記憶期，孩子像塊海綿，大力的吸取爸媽給予的養分，誠摯的希望爸媽替孩子選擇優良讀物，這套書絕對是孩子的良師益友、父母的好幫手！

晨讀 10 分鐘系列 039

[小學生]
晨讀10分鐘
成語故事集 2・生活篇（下）

國家圖書館出版品預行編目(CIP)資料

晨讀 10 分鐘：成語故事集2・生活篇／李宗蓓著；蘇力卡繪. -- 第一版. -- 臺北市：親子天下, 2020.07
184頁；14.8x21公分. -- (晨讀 10 分鐘系列；39)

ISBN 978-957-503-614-0（下冊：平裝）

1.漢語 2.成語 3.通俗作品

802.1839　　109006694

作者／李宗蓓
繪圖／蘇力卡

責任編輯／李幼婷
版型插圖、美術設計／曾偉婷
行銷企劃／葉怡伶

天下雜誌群創辦人／殷允芃
董事長兼執行長／何琦瑜
媒體暨產品事業群
總經理／游玉雪　副總經理／林彥傑
總編輯／林欣靜
行銷總監／林育菁　副總監／李幼婷
版權主任／何晨瑋、黃微真

出版者／親子天下股份有限公司
地址／台北市 104 建國北路一段 96 號 4 樓
電話／（02）2509-2800　傳真／（02）2509-2462
網址／www.parenting.com.tw
讀者服務專線／（02）2662-0332　週一～週五：09:00~17:30
讀者服務傳真／（02）2662-6048
客服信箱／parenting@cw.com.tw

法律顧問／台英國際商務法律事務所・羅明通律師
製版印刷／中原造像股份有限公司
總經銷／大和圖書有限公司　電話：（02）8990-2588

出版日期｜2020年 7 月第一版第一次印行
2024年10月第一版第十次印行
定價｜260 元
書號｜BKKCI019P
ISBN｜978-957-503-614-0